2030年 ジャック・アタリの未来予測

不確実な世の中をサバイブせよ！

Jacques Attali
Vivement après-demain!

ジャック・アタリ 著
林 昌宏 訳

プレジデント社

「試み、挑み、こだわり、粘り、じぶん自身に忠実に、運命と一体になり、破局の恐れなどものともせずにその裏をかき、あるときには不当な権力に対抗し、あるときには勝利の陶酔をあざけり、がっちり持ちこたえ、昂然と刃向うこと。それこそが民衆が欲する模範であり、民衆を熱狂させる光なのだ」

『レ・ミゼラブル』（ユゴー、西永良成訳、筑摩書房、二〇一三年）

日本の読者へ

自著を通じて日本の読者と交流できるのは、とても名誉なことだ。

古今東西にわたり、人類は未来を予測しようと、さまざまな方法を用いてきた。太古から、未来を予測するために実に多くの方法が開発されてきた。たとえば、星占い、トランプカード、偶然を利用するゲームなどだ。近年になって理性に基づく未来予測が登場した。また最近ではコンピュータの発達により、統計を駆使することによる、因果関係を無視して相関関係だけに基づく未来予測が脚光を浴びるようになった。しかしながら、自分たちを待ち受ける未来を垣間見るのは相変わらず至難の業だ。というのは、統計学からわかるのは蓋然性《がいぜんせい》にすぎないからだ。

われわれは、確実に起きるであろうことや、起きる可能性があることを予測するために、これらの方法を利用しなければならない。それは自分たちの自由の領域を押し広げるためである。

ところが、われわれは未来予測の結果を直視したがらない。また、誰もが死にゆく存在であるのに、これを正視しようとする者は少ない。多くの者たちは何も予測したくないのだ。最悪の事態が訪れても立ち向かう気力がなく、尽力しなければそこから逃れられないのに、そのことを怖くて認めようとしない。すなわち、予測するという行為の最大の敵は怠慢なのだ。怠慢であるがために、すべては予定調和で終わり、最悪の事態は訪れないというように、未来を自分に都合よく考えるのだ。

とはいっても、最悪の事態は誰にでも訪れる。われわれは、自身の歩みを予測するための条件を整えながら、そうした事態に備えなければならない。

国家の場合、サバイバル手段をもち合わせていれば、最悪の事態は回避できるだろう。日本人は、自国が数多くの脅威にさらされていることを充分に自覚している。たとえば、急速に進行する少子高齢化、中国や北朝鮮との戦争、大地震や津波などの自然災害、また現在でも脆弱な状態にある福島地域などの脅威である。

「起きるわけがない」と決めつけても、どんなことだって起こりうる。そうした最悪の事態を予測することこそが、最悪を回避する最善の手段なのだ。

だからこそ本書で開示する数々の予測は、われわれ個人、家族、国家、人類のサバイバルに必要不可欠なものなのである。

二〇一七年六月

ジャック・アタリ

目次

世界では多くの重要なことが、悲惨な状態になりつつある……49

第二章 解説 …… 97

◎本文内における〔　〕は、訳者による補足である。
◎読みやすさ、理解のしやすさを考慮し、原文にはない改行を適宜加えた。

Introduction

今後、人類が自滅することなく一〇〇年後も文明が存続し、未来の歴史家たちが今日の人類の暮らしぶりに興味を抱くと仮定しよう。そのとき未来の歴史家たちは、二〇一七年の人類が「大破局」を予見したのに、これを阻止するための地球規模の革命を起こさなかったのはなぜか、と疑問を抱くに違いない。

未来の歴史家たちはもっともらしい顔をして、次のようなことを語るはずだ。政治家たちの怠慢、企業経営者たちのシニカルな態度、国民の移り気、銀行家たちの傲慢、楽観主義者たちの稚拙さ、悲観主義者たちの受け身な態度、インテリたちの無責任さ、経済学者たちの虚栄心、メディアの臆病さ、弱者たちのあきらめ、先見の明のある人々の影響力のなさなどである。

現代人は宇宙の起源を科学的に論じることができる一方で、数週間先（大胆な者でも、せいぜい数十年先）の視野でしか、自分たちの未来を考察できない。未来の歴史家たちにとって、これは理解不能なことだろう。また、現代人がいたるところで社会が自滅するのを傍観し続けたことも謎となるだろう。

未来の歴史家たちは次のように自問するに違いない。現代人は、人材、才能、エネルギー、他者を思いやる気持ち、勇気、善意を、なぜそれほどまでに無駄にすることができたのか。どうしてよりよい世界を築けなかったのか。未来の歴史家たちは破滅の予兆を探り、注目は集めたにしても理解してもらえなかった訴えを、過去の文献や討論の中から見つけ出そうとする。『ハムレット』の台詞を引用して「当時、世の中は無秩序でしかなかった。世の中の関節は外れてしまったのだ」と嘆く者も現れるのではないか。

何の対策も講じなければ、「歴史」という尺度からするとすぐにでも、つまり、一年、一〇年、一五年後には、人類の際限のない粗暴によって、新たな展開が訪れる。いずれにせよ、二〇三〇年までに破局にいたるのは間違いない。人々の運命を同化させる津波のような破局が訪れるのだ。大金持ちや大権力者であろうと、この破局からは誰も逃れられない。避けることのできた惨事に涙を流しながら廃墟の中で新たな社会を築くことになる前に、われわれにはやるべきことがある。

本書の目的は次の通りだ。誰もが世界の明るい展望と脅威を知る術をマスターし、それらの機会とリスクを推し測ることができるようにすることだ。それは、暗礁の間に安全な水路を見つけ、各自の望む港にたどり着くためだ。すなわち、世界の最良の部分を引き出すためであり、われわれ全員が自分自身になるためである。

*

惨事と喜びからつくられてきたわれわれの歴史は、数年前から混沌へと向かっている。混沌へのこうした進行は、まもなく逆戻りできない状態になる。それもすべての領域においてだ。もちろん、望みは数多く存在するし、われわれの周囲には幸福がきらめいている。実際のところ、経済は現実の本質どころか、将来の望みや脅威の骨子を表わしていないのではないか。もしそうだとすれば、今日、すべては経済から始まる。われわれが現実に体験する、そして体験するであろうことを要約すると、次の通りだ。

世界中で、自由を名目に市場のグローバル化が容認された。つまり、マネーが社会を支配することが放置されたのだ。そのような社会では、すべての価値は価格で表示され、エゴイズムと貪欲さだけが掟となり、裏切りと破壊が横行する。すなわち、本来であれば世の中に意味を付すはずの、マネーとは異なる倫理や行動規範はお払い箱になる。ところが、個人ならびに社会全体に安全や自由をもたらすはずの法律がグローバル化されることはない。こうして世の中はますます市場に支配されるようになる。

地球政府が誕生して、市場に法秩序を遵守させるようなことは起こらない。とくに、自然破壊や気候変動を促す生産活動を制限したり誘導したりする規則は一切ない。富の偏在を解消させる仕組みは存在しない。さらなる政治力を獲得する高齢者が、潜在能力を発揮する機会を失い続ける若年者に対し、これまで以上に負担を押しつける。ようするに、他者の幸せは自分の得になるのだと、人々にわかってもらえるような社会的な雰囲気にはならないのだ。

以上がこの時代の諸悪の根源である。そしてこうした説明は、今日、経済学者たちの間で話題になっている長期不況をはじめとする経済分野だけでなく、すべての領域に当てはまる。したがって、二一世紀は陰鬱な時代になるだろう。

マネーでしか価値を判断しないような社会では、今後、ほとんどすべてのものが売買の対象になる。テクノロジーが驚異的に進化する時代では、イノベーションを利用してあまり意味のない地球規模の興行が催される。

あらゆるものがつながり、そして交錯する。すなわち、ヒト、モノ、文明、過去、現在、未来である。それらが衝突することにより、新たなものが次々と生み出される。だが、それは幻想的な自由であり、渦巻きの動きのようなものだ。いくつもの大河が海に面する河口付近の三角州で激しく合流する光景をイメージしてほしい。それらの流れは海にのみ込まれて消えてなくなる前にもがくが、それらの運命、アイデンティティ、存在意義は、不確かなものにすぎない。

こうした混乱期に各国政府が、生活費をなんとかやり繰りしようとあくせくする庶民のように振る舞うのは実に嘆かわしい。各国政府は、次世代にツケを回す借金を無分別に膨張させる一方で、経済、政治、イデオロギー、テクノロジーに関する問題を一気に解決してくれるという触れこみの、資質の疑わしい救済者が現われ、この救世主が借金をすべて帳消しにし、さまざまな矛盾を一刀両断にしてくれると願っている。ところが、そのような救済者が現われることなどありえないのだ。

市場メカニズムに組み込まれている揺り戻しという不思議な自浄作用が働いたり、奇跡的なイノベーションが人類を救ったりすることなどありえない。

人類が倫理観を変化させ、世界中で人々が次世代の利益を重んじる利他的な活動を行ない、そうした活動が広く認知され、人類が利他主義者たちの必要とする地球規模の法規範の制定を支援しなければ、人類はまたしても壊滅的な事態に陥るだろう。われわれが現在抱える問題は単なる予兆にすぎないのだ。

したがって、傍観する姿勢は何の役にも立たないだけでなく、事態を悪化させる。これらの難問に対する取り組みが遅れれば遅れるほど、現実、自然、人類の逆襲は強烈なものになる。われわれの社会は、世界中で暴力が吹き荒れる「憤懣《ふんまん》（怒りのやり場がない思い）」の社会構造」になったのである。

そのような社会では、一握りの個人だけが巨額の富を手に入れる。彼らは貧者を慮《おもんぱか》ることなどしない破廉恥な輩だ。当然ながらほとんどの人々は、そうした富から何の恩恵もえられない。こうして人々の不満は爆発寸前になる。よりよい世界を願う人々は、自己の潜在能力を心穏やかに解き放つことができず、自己開花の過程から逸脱するようになる。彼らは、憤懣が高じて万人の万人に対する闘争に身を投じるようになる。

かなり以前から、多くの人々が近未来の明るい出来事や暗い出来事を、かなり正確に予測するようになった。彼らは、自分たちの悪い予想が的中ばかりするのを心苦しく思い、（社会の暴力や怠惰に関する）現実が自分たちの最悪の見通しよりも日増しに悪化することを懸念している。

また、次世代のことを想い、最悪の事態の到来を阻止して明るい未来を構築するために活動する人々もたくさんいる。

善が悪に打ち勝つのは、もはや手遅れなのか。私はそうは思わない。しかし、二〇三〇年まで手をこまねいていれば、時すでに遅しだ。

自分自身および他者のために、全員がすぐにでも行動を起こさなければならないのだ。本書ではそのことを理解してもらうために、今から二〇三〇年までに世界で起きるであろうさまざまな重要な出来事を語る。

そのためには、よく知られているデータはもちろん、あまり知られていない知見を読者に紹介する必要がある。それらの情報に触れると、未来は、現在の傾向を単純に引き延ばすことによって描かれるというよりも、よくも悪くも、現在よりも常軌を逸したものであることが理解できるはずだ。というのは、未来は、八〇億人〔二〇三〇年の世界の人口〕の行動、創造力、憤懣、錯乱、激怒、世の中をよくしようとする意思の絶えざる相互作用から生じるからだ。今から二〇三〇年までの間に地球で暮らす人々全員の人数を考慮すれば、実際には二〇〇億人近くの人々が未来の行方に関与する計算になる。

本書で述べる難題、望み、惨事に直面しても、劇場で演劇を鑑賞するような態度で暮らそうとする者たちがいるかもしれない。人類の大半が彼らのように自分たちの将来に働きかけることを断念するのなら、最悪の事態が訪れることも考えられる。

台本はすでにできあがっている。役者たちは台本通りに舞台に登場する。自分自身そして他者に善をなすには、舞台に駆けあがり、台本を書きかえ、舞台装置を覆さなければならない。さもなければ、まもなく取り返しのつかない悪夢が現実になる。われわれは行動を起こさなければならないのだ。

われわれは世界の現実をきちんと把握し、自分たちの生活を早急に見直す必要がある。救世主の登場と集団的な救済の間には密接な関係があるが、これらを期待しても無駄である。

診断がついたのなら、たとえ困難でも、そして権力の正体を暴くことがこれまでのように容易でなくても、行動すべきだ。何を差し置いても、自分自身の人生を大切にすることだ。自分の人生を決定するのは他者だなどと考えてはいけない。自分は唯一無二のつかの間の存在であることを意識すべきなのだ。

自分の幸福は他者の幸福に左右されると肝に銘じてほしい。より一般的にいえば、自分の幸福は、世の中のあり方と行方に依存するのである。そして自分自身および他者のために行動する勇気を、他者の幸福から導き出すのだ。

世界の行方は、各自が自分自身になれるかどうかにかかっているのである。

第一章

憤懣《ふんまん》が世界を覆い尽くす

自分の人生に意義をもたせるつもりなら、そして余生を楽しむだけの暮らしに甘んじるつもりがないのなら、世界を理解すべきだ。

まずは、世界の現状を把握する必要がある。

統計学が日々洗練され、定量分析の対象が増える今日、われわれは現実を以前にも増してつぶさに描写できるようになった。技術、アイデア、力関係、芸術作品の変化には物事の本質が見出せる。見逃されがちだが、文化や政治からは、何らかの兆候が感じとれる。

歴史に意味があるとすれば、歴史は表裏一体のムーブメントからなるといえるのではないか。すなわち、太古から、人類がなすことのできる善は増え続けると同時に、人類がなすことのできる悪も増え続けている。また、人類が幸福および自由になるための方策は増え続けると同時に、自滅および生態系の破壊を引き起こす手段はますます強力になっている。

いつの時代も、世界は光と影、暴力と慈愛、粗暴と温和、創造と破壊で満ちあふれていた。だが、善が悪を明らかに圧倒した時代もあれば、それとは逆に、悪が支配的だった時代もあった。すなわち、これまでの歴史は、混沌とした見通しの悪い状況において、啓蒙思想と異端審問が相次いで起き、混在してきたようなものなのだ。

本書執筆の時点では、世界には善をなす手段は数多く存在し、善をなす活動家たちは増え続けている。だが現在、世界は悪の勢力によって支配されているといえる。したがって、未来を考察するにあたっては、現状の最悪の状況を把握する前に、そして悪と善を比較検討する前に、よりよい世界をつくるための切り札を詳細に列記する。

順調にみえる世界

万事順調に運んでいる、懸念すべき深刻な危機はもう見当たらない、最悪期は脱した、明るい未来が待ち受けている、世界中のあらゆる問題はすべて市場が解決してくれるなどと述べる者たちは、論拠を欠いている。

そうはいっても、さまざまな側面からみて、人類の暮らしは今後も改善され続けるであろうということが膨大なデータによって示されている。それらのいくつかを紹介しよう。

たしかに、生活水準は著しく改善された。とくに、最貧層の暮らしは大きく改善された。人類の平均寿命は飛躍的に延びた。過去ではごく一部の人々のためのものだった財やサービスは、今日ではほとんどの人々の手に届くようになった。民主主義は広まり、民主主義とともに人々の連帯感は強まり、善意の活動が盛んになった。そして暴力の定義にもよるが、極端な暴力は影をひそめた。

向上し続ける生活水準

実際に、量的な観点からみると、人類の平均的な生活水準は一〇〇年ほど前から上昇し始め、三〇年ほど前から急上昇している。より詳細にみると、世界のＧＤＰは、二〇〇九年を除けば一九七五年以来、毎年増加している。とくに、中国とインドのＧＤＰは、二〇〇八年から二〇一五年にかけて、中国が二・四倍、インドが二・三倍と急増した。中国とアメリカの豊かさを比較すると、二〇〇〇年の中国は一九三九年のアメリカと同じレベルであり、二〇一五年の中国は一九七二年のアメリカに追いついた。[1]

一九九〇年から二〇一五年にかけての一人当たりのGDP（購買力平価によって世界の一人当たりの年収を計測）は、アジア地域の急速な発展もあって、米ドル換算の購買力平価で五四〇〇ドルから一万五四〇〇ドルと、およそ三倍になった。

もちろん、こうした進展はマネーという物差しで計測した平均値にすぎない。この平均値が示すことの意味、そしてそこに隠されていることについては、後ほど述べる。

続伸する平均寿命

出生時の平均余命、つまり平均寿命は、半世紀前から世界中で延びた。一九六五年の四六・九歳から二〇一五年の七一・四歳へと急伸したのである。[2] とくに二〇〇〇年からは五歳も延びた。これは過去五〇年以来、最も高い延び幅である。こうした平均寿命の延びはアフリカ諸国で顕著であり、これらの国々では、二〇〇〇年から二〇一五年にかけて九・四歳も延びた。そのおもな理由は、出産時および乳幼児の死亡率の低下と、エイズ治療薬の普及である。平均寿命に関する先進国と途上国の格差は、一九五〇年では二三歳だったが、二〇一五年には一〇歳にまで縮まった。

減少する極貧

一九八五年に極貧状態で暮らす世界人口は、二〇一五年の三・五倍も多かった。極貧層の定義が引き上げられたとしても（一日当たりの生活費は、一・二五ドルから一・九〇ドルになった）、こうした状態で暮らす人口は、二〇一五年に初めて世界人口の一〇%を下回った。[3] さらに詳しくみてみると、二〇一二年に九億二〇〇〇万人だった極貧状態の人口は、二〇一六年になっても世界人口の九・六%に相当する七億二〇〇〇万人も存在する。

極貧の減少は、極貧状態を示す生活費以外の指標にも表われている。たとえば、飢餓に苦しむ人口は、一九九〇年から二〇一四年にかけて三九%減少した。新興国におけるこの割合は人口の二〇%から一二%になった。[4]

しかしながら、ご存じの通り、われわれの世界がつくりだす精神的な錯乱であり、道徳的な荒廃ともいえる低賃金労働は、いたるところで横行している。この問題については、後ほど述べる。

コスト削減の推進

グローバリゼーション、競争原理の導入、技術進歩、創造性の育成などにより、一部の製品コストは劇的に削減された。つまり、全員の購買力が向上したのである。

生産活動はコストが最も安い地域で行なわれるため、企業は、国際貿易の急速な発展を追い風にする世界規模での価格連鎖〔企業のすべての活動が最終的な価値にどう反映されるのかを体系的かつ総合的に検討する、ハーバード大学教授マイケル・ポーターが唱えた手法〕を再構築し、国際的な管理体制を敷いた。財に関する世界の輸出総額は、一九九五年の五兆ドルから二〇一四年の一九兆ドルへと増加した。

同時期、世界貿易機関（WTO）によると、サービスに関する輸出総額は一〇億ドルから五兆ドルへと急増した。結果として、世界のGDPに占める国際貿易の割合（付加価値ベース）は、一九九五年の二〇%から二〇一四年の三〇%へと増加した。

国際連合貿易開発会議によると、外国への投資額は、一九九五年の三〇〇〇億ドルから二〇一五年の一兆七〇〇〇億ドル近くにまで急増したという。

こうした貿易のグローバル化により、生活必需品は生産コストの最も安いところで製造されるようになり、最終消費者は生活必需品を安く購入できるようになった。

たとえば、衣服の価格は大幅に下落した。衣服の価格を一九七〇年と二〇一二年で比較すると、イギリスでは六倍、アメリカでは二・七五倍、フランスでは一・二五倍も高かった[5]。

衣服と同様に、テレビ、家庭電化製品、携帯電話、さらには太陽光パネルの価格は、一〇年前より大幅に安くなった。ノートパソコンやパソコン周辺機器の価格は、一九九七年より九〇％も下落し、同時期にインターネット接続料金は二五％下がり[6]、携帯電話の通話料は一九九六年より五〇％も安くなった[7]。

新たなコミュニケーション手段の普及

二〇一六年、携帯電話のネットワークは七〇億人（世界人口の九五％）をカバーしている（彼らのうち、ブロードバンド・インターネットに接続できるのは六二億人）。三八億人が携帯電話を保有しており、二〇億人が自分のスマートフォンからソーシャル・ネットワークを頻繁に利用している。

世界銀行によると、世界人口に占めるインターネットの利用者の割合は、一九九六年の一・三%から二〇一六年の四九・二%へと増加したという。

ソーシャルメディア・コンサルティング企業「We Are Social」の年報「Digital in 2016」によると、七四億人〔世界人口〕のうち二三億人がソーシャル・ネットワークを積極的に利用しているという。

二〇一六年、一日平均一四四〇億通の電子メール（そのうち六八・八%は迷惑メール）が送信されている。

インターネットでは、八二万二二四〇のサイトが毎日新たに開設されている。

二〇一五年、大手ソーシャルメディア（スナップチャット、フェイスブック、インスタグラム、ワッツアップ）には、連日、三五億枚の写真がアップされている。ちなみに、二〇〇九年では一億枚にすぎなかった[8]。

二〇一五年だけでもインターネット上でやり取りされるデータの総数は、およそ九六〇エクサバイト（1×10^{18}バイト）だ。ちなみに、一九九九年では五四ペタバイト（1×10^{15}バイト）だった。インターネット上で誰もが利用できるデータの数は途方もなく増えたのである。

一九九五年の時点では高性能だった検索エンジン「ライコス」は一五〇万の文書を検索した[9]が、二〇一六年のグーグルは六〇兆の文書を検索する[10]。

このようなインターネットの発展により、無料でコミュニケーションするためのきわめて強力な手段が登場した。

スカイプでは、時間にして毎日三〇億分のコミュニケーションがある。[11] ワッツアップでは、回数にして一日当たり一億回のコールがある。[12]

ところで、インターネットは情報を得るためだけの手段ではない。グーグルの検索エンジンには、毎日三三億件の広告掲載の依頼がある。[13] そしてインターネットは商取引の手段でもある。

二〇一四年、世界中で少なくとも一一億五〇〇〇万人が携帯電話で商取引を行なった。同年、アフリカのサブサハラ地域では、住民の一六％がインターネット・バンキング・サービスを利用した。[14]

パソコン、携帯電話、インターネットの普及により、僻地で暮らす人々や貧者であっても、互いにコミュニケーションできるようになった。たとえば、人里離れた村の暮らしや出稼ぎで離ればなれになった家族の生活は様変わりした。看護師や医師と連絡できるようになり、家族の健康状態は改善された。村では、警察に通報できるようになり、治安がよくなった。農村部では、農民たちが仲買人の情報に頼ることなく農産物の相場を知ることができるようになったため、農民たちの所得が増えるなど、さまざまな利点があった。

また、コミュニケーションの分析、世界規模での情報収集、安全確保、移動時間の短縮など、それまで考えられなかった新たなビジネス・モデルやサービスが登場した。二〇一五年には、三〇億台のスマートフォンを含む、三六億個の物体が衛星測位システムに接続された[15]。

農業、教育、医療の分野におけるイノベーション

センサー機能をもつモノをインターネットに接続すれば、農学、気象学、化学などに関する量的データを即時に知ることができ、農産物の収穫量を増やせる。

いくつか例を挙げる。農地土壌の区分管理プログラム「ゲオフォリア」は、栽培に影響をおよぼす主要な量的データを解析し、それらの結果に応じて農民を直接指導する。「環境および農業に関するフランス国立科学技術研究機構（Ｉｒｓｔｅａ）」のクロクス計画では、農地区分ごとにデータを集めるセンサー・システムが提唱されている。それらのデータを分析すれば、農地に発生しうるリスク（農作物の病害など）を予見できるという[16]。

ドローンニマージ社やエーイノヴ社などのフランスの新興企業は、ドローンを利用して

土壌がもつ潜在的な収穫力を正確に教えてくれる。

農業ロボットの「ボニロブ」は、搭載されたカメラによって雑草を瞬時に検知し、草取りをする。

これらの新たなテクノロジーによって教育にも衝撃がもたらされた。

クラス・セントラル（オンライン教育の推移を追うサイト）のデータベースによると、二〇一六年、世界中で六〇〇以上の大学が四二〇〇のムーク（インターネット上で誰もが受講できる講義）を開講しているという。二〇一五年では、三五〇〇万人がムークの講義を受講した。

アメリカでは二〇一四年の九月から一二月までの間に、オンラインで少なくとも一コマの講義を（修了証書を授与する教育機関で学ぶ二一〇〇万人のうちの）五八〇万人以上が受講した[17]。

コーセラ（ムーク市場のリーディング企業）の調査によると、（就職面において）ムークの最も大きな恩恵を受けているのは、低学歴の人々だという（低学歴の人々の四〇％が、ムークは彼らの経歴に明白な効果をもたらしたと語っている。一方、大卒以上の高学歴の人々の間では、この割合は三分の一以下である[18]）。

インドでは二〇一三年、遠隔教育の受講者は大学教育登録者全体の一二・五％を占めた

（人数にして三〇〇万人以上）[19]。

中国のオンライン教育最大手フュージャンには、八〇〇〇万人以上が登録している（そのうち、三〇〇万人は有料会員）[20]。最も人気の講義の一つは、全国大学統一入試の準備講座である。

インターネットが提供する健康管理サービスは統合化が進み、電子カルテによって情報の共有が自動化され、物理的な距離はあまり問題にならなくなった。

二〇一五年、北アメリカ地域では、四四〇〇万以上の処方箋がダウンロードされた。世界保健機関（ＷＨＯ）の報告書によると、二〇一五年、ヨーロッパ諸国五三ヵ国のうち三一ヵ国では患者のために電子カルテ・システムが、また三八ヵ国では一部の患者を対象とする、重要な生体データを遠隔モニタリングするシステムが配備されたという[21]。

二〇一五年にイギリスで行なわれた六二〇〇人の患者を対象にした遠隔診療の効果に関する調査では、遠隔診療によって医療費は八％、入院日数は一四％、死亡率は四五％削減されたことが明らかになった。

技術進歩によって減る苦役

ロボットは労働環境と日常生活をすでに大きく変化させた。

二〇一四年に販売されたロボットの台数は、二二万九〇〇〇台だ（一〇年前の二倍、二〇一三年の三〇％増）[22]。

世界では一二〇万台以上の産業ロボットが稼働している[23]。ロボットの最大市場はアジア地域だ。これは世界経済の現状を反映している。

人間が生産ライン上で操作するロボット「コボット」により、労働者は、人間にとって最もつらい繰り返し作業から解放されるようになった。

また、パワードスーツを着用すれば、労働者の苦役は減る。

企業組織の大変革

従来、企業組織はピラミッド型だった。決定権は極度に中央集権化され、垂直的な序列構造が主流であった。しかし、企業組織は徐々に水平構造になり、決定権は分散化され、さらには、情報は上意下達されるだけでなく、あらゆる方向に自由に拡散し、希釈化、断片化されるようになった。

金融市場から直接資金を調達する企業の数は増加している。今後、企業は顔も見たことのない投資家たちを納得させるために、自社の財務諸表をインターネット上で定期的に公開しなければならない。一方、銀行家だけに財務諸表を見せて銀行からの融資で資金繰りを賄う企業の数は減っている。

新たな形態の企業も登場した。企業は公益や地域のために活動できるようになった。

共有経済〔シェアリングエコノミー〕の発展

新たなテクノロジーによって共有経済が発展している。

共有経済では、消費者は自分たちの所有物を共有化して企業と競合することができる。二〇一三年の共有経済の経済規模は、二六〇億ドルほどだった。今後、共有経済は、既存の経済価値を破壊するよりも多くの価値を生み出すと思われる。

宿泊先を共有するリーディング・カンパニーであるエアビーアンドビー社は、一晩当たり四二万五〇〇〇人分の宿泊先を確保する。年間に換算すれば一億五五〇〇万人分の宿泊先だ。ちなみに、二〇一四年に高級ホテル・チェーンのヒルトンに宿泊した延べ人数は、一億二七〇〇万人にすぎない[24]。

運輸部門の共有経済のリーディング・カンパニーのウーバー・テクノロジーズ社は、全世界二五〇以上の都市で活動する。二〇一六年六月、ウーバー社の時価総額は六六〇億ドルであり、これは、デルタ航空、アメリカン航空、ユナイテッド航空などの大手運輸企業の価値を上回る。

協働と利他主義の推進

人道と利他主義に基づく活動が、世界中で拡大している。個人主義や貪欲さとは根本的に異なる世界が、現実に影響をおよぼし始めているのだ。

こうした活動を担う団体を大別すると、非政府組織（NGO）、国連の諸機関、赤十字運動、国家である。二〇一四年、国際人道支援に投じられた資金は二二〇億ドルだ。その割合をみると、国連の諸機関が六〇％、NGOが二〇％、赤十字運動が一〇％、各国政府の二国間援助の枠組みが一〇％だった[25]。

これらの人道支援団体は、団体ごとに独自の特徴をもつ。たとえば、NGOには、スカンジナビア型（活動資金は政府が出資するため、援助は外交政策のツールと見なされる）、地中海型（公的資金を受け入れることがあっても、政府が行なう援助と一線を画そうとする「国境なき医師団」のような団体）、そしてアジア型がある。大きな進化を遂げているのがアジア型であり、これはさらに細分化できる。

アジア型の例を紹介する。バングラディシュを拠点とする大手NGO「BRAC（バングラディシュ農村向上委員会）」は、株主である社会的企業（社会問題の解決を目的として収益事業に取り組む事業体）のネットワークを通じて五億ユーロ（年間予算の八〇％）を受け取っている。

インドの「ナンディ財団」は、村にある四〇〇ヵ所の小さな水処理施設をネットワーク化することによって、六〇万人以上の村人たちの飲料水を確保している。

「持続的健康管理財団」は、ケニアやルワンダの貧民街における医療サービスを向上させるために、薬局と無料診療所のフランチャイズ・システムを構築した。ちなみに、これらの施設で働く人々はボランティアではなく、彼らには世間並みの賃金が支払われている。

紹介した以外にも、世界中で市場経済の枠組みで他者の幸福のために活動する団体は数多く存在する。

ＮＧＯを支援するプラットフォーム企業は、ＮＧＯに資金供与し、人々が自分たちの同郷人の幸福のために働くことのできる労働環境を整備している。

フランスのメイクスペース社というプラットフォーム企業は、サンフランシスコやホーチミンまで五〇〇〇以上の共同体を結束させた。

このようなプラットフォーム企業は、二〇〇人以上の社会起業家を支援する目的から数百ヵ所の職場をつくり出し、社会起業家たちの挑戦を応援している。[26] 財団は、世界規模の社会的挑戦を支援する役割も担い始めた。財団独自のプログラムやNGOの活動に資金提供するようになったのである。

二〇一一年、フィランソロピー〔企業などによる社会貢献活動〕が各国のGDPに占める割合は、アメリカが二・三%、フランスが〇・二%、日本が〇・二五%、ドイツが〇・四%、イギリスが一%だった。[27]

アメリカのフィランソロピーに関する年間報告書『ギビングUSA』によると、二〇一五年にアメリカ人はさまざまな財団に六〇〇億ドルを寄付したという。

たとえば、これらの財団のおかげで、アフリカ諸国でのマラリア撲滅運動のための活動資金は、二〇一〇年から二〇一五年までの間に一〇倍になり、マラリアの新規患者数は二五%減、この病気で命を落とす人の数も四二%減となった。

アメリカでは一五六人の大金持ちがフィランソロピーの理念に共鳴している。たとえば、

「寄付誓約宣言」という啓発活動では、存命中あるいは死後に個人資産の五〇％を財団に寄付すると宣言してもらう。二〇一六年四月、（そのときに一三九〇億ドルの寄付の誓約があったため）集まる寄付の総額は三六五〇億ドルに達した。二〇一六年九月、この総額にフェイスブックの創始者の三〇億ドルの寄付が加算された。

強化される民主主義

この五〇年で、東ヨーロッパ、アジア、アフリカ、ラテンアメリカなどの地域では、独裁者から解放された国が急増した。

今後、さまざまな機関やNGOが、公正な選挙、そして報道や結社の自由を世界中で監視する。

アムネスティ・インターナショナルなどの人権擁護を専門とするNGOの活動により、報道されない人権侵害は減っている。

また内部告発者が情報開示の主役になった。

二〇一〇年、チェルシー／ブラッドリー・マイニング（性同一障害のため、女性名に改名）は、アメリカ軍および外交上の機密資料をウィキリークスに提供した。

二〇一三年、エドワード・スノーデンは、アメリカ国家安全保障局（ＮＳＡ）による通信監視プログラム「ＰＲＩＳＭ」の大規模な運用を暴露した。

二〇〇七年、エルベ・ファルチアニは、金融グループＨＳＢＣのスイス支店に口座をもつ外国人顧客の情報をフランス政府に提出した。

アントワーヌ・デルトゥール（ルクスリーク）は、多国籍企業とルクセンブルク政府との課税優遇協定を暴いた。

二〇一五年、告発によって六三八件が当局の取り調べの対象になった。

これらすべてのことにより、安定した民主主義の条件ともいえる情報開示は大きく進展した。

パクス・アメリカーナは健在

二〇一六年、世界が地政学的に安定して推移するだろう兆候の一つとして、世界の主導役であるアメリカが活力を取り戻したことが挙げられる。アメリカに対抗でき、経済と政治が良好な状態にあり、世界の安定のために大きな役割を常に担えるような国は、アメリカ以外に存在しないと思われる。アメリカは力強く安定した民主主義の国であり続けるだろう。

ＮＧＯのフリーダム・ハウスによると、アメリカは安定した社会制度をもつ、国民の自由が約束された民主国家だという。だが、二〇一五年に雑誌『エコノミスト』が世界一六七ヵ国をランク付けした「民主主義指数」では、アメリカは二〇位にすぎない。

アメリカの軍事力は、間違いなく世界一である。二〇一六年、アメリカの軍事予算は、アメリカを除く上位九ヵ国の軍事予算を合わせた額よりも大きい。

アメリカ軍は、一万三九〇〇機の航空機、九二〇機の攻撃型ヘリコプター、二〇隻の航空母艦、七二隻の潜水艦を保有する。アメリカの軍人の数は、現役軍が一六〇万人、予備役が一一〇万人だ。一方、ロシア（世界第二位の軍事大国）は、それぞれ七六万六〇〇〇人と二五〇万人である。アメリカ軍は、世界一六〇ヵ国にある八〇〇の軍事基地に駐留しており、世界中の外国の軍事基地の九五％はアメリカ軍のものだ[28]。アメリカは、六九七〇個以上の核弾頭を保有しているようだ（このうち二三〇〇個を減らそうという計画がある）。参考までに二〇一六年時点では、フランスが三〇〇個、イギリスが二一五個の核弾頭を保有している[29]。

アメリカ経済は再び繁栄している。アメリカ経済は二〇〇八年の世界金融危機から立ち直り、成長力を取り戻した。数々のイノベーションが生み出され、これまでになく多くの企業が誕生している。失業率は二〇〇九年から二〇一六年にかけて半減し、二〇一六年六月時点では四・九%付近で推移している。アメリカ人世帯の借金は、二〇〇二年の水準にまで回復した。

アメリカには世界中の才能のある人々が集まって来る。たとえば、インドからアメリカに移住する科学者や技術者の数は、一〇年間で八五%増加した。

世界中で最も活力のあるテクノロジー・エコシステムによって世界を席巻するのは、シリコンバレーの一万九〇〇〇社のスタートアップ企業である。シリコンバレーには、イノベーションを起こすための資金が豊富にある。

アメリカのメディアは、以前にもまして世界への影響力を強めている。アメリカのメディアと娯楽産業は、金額ベースで世界市場の三分の一を占める。

環境問題に対する意識の高まり

気候変動による被害が明白になったため、人々は環境問題を意識するようになった。先進国の半数以上、中進国および途上国の三分の一は、五年間で大気汚染を五%以上削減することに成功した[30]。

「気候変動適応（CAT）プログラム」によると、世界で最もエコロジーな国であるブータンなどでは、大きな成果が挙がっているという。ブータン政府は、二〇〇五年に環境に優しい農業を推進するために国家バイオ計画を実施した。カーボン・ニュートラル（二酸化炭素の排出量と吸収量を同じにする）を達成するために、水力発電に投資するなど、さまざまな対策を講じたのである。二〇一六年のブータンの水力発電量は、自国の電力需要の二倍である。

二〇〇七年にコスタリカは、二〇二一年までにカーボン・ニュートラルを実現し、二〇三〇年までに温室効果ガスの排出量を二五％削減すると宣言した。現在、コスタリカはこの約束を守り、エコツーリズムを推進し、生物多様性の宝庫である熱帯雨林を保護している。

「国連気候変動枠組条約第二二回締約国会議（COP22）」の議長国であるモロッコは、二〇一一年の憲法改正の際に、持続的発展と天然資源の保全の原則を盛り込んだ。

二〇一六年にパリで開かれたCOP21の成功は、よい兆しといえよう。一九六ヵ国が採択した協定（パリ協定）の狙いは、地球の気温上昇を産業革命前と比較して二度未満に抑え、地球温暖化の進行を抑制することだ。合意に達したのは、数多くのNGOが各国政府に働きかけたからだ。これらの協定は、地球環境の分野における国際法の確立のためにきわめて重要といえる。気候変動に関する世界的な取り決めであるパリ協定には、公害排出大国である中国とアメリカも批准した〔二〇一七年六月、アメリカのトランプ大統領は、パリ協定離脱を発表〕。

また、こうした取り組み以外にも、持続的発展を目指す仕組みが実施段階にあり、世界中でさまざまな試みが模索されている。

たとえば、乾燥した地域に新たなエコシステム管理法を提唱し、開発支援の強化を目指す国連砂漠化対処条約である。

インドは塩害に関する研究機関を設立した。インド国家農業研究委員会に帰属するこの研究機関の任務は、土壌の持続的管理と農業用水の水質管理である。

多くの個人も環境保全に取り組んでいる。たとえば、南アフリカの一六歳の少女キアラ・ニルギンは、干ばつ対策に利用できる、オレンジとアボガドを素材にする高吸水性ポリマーを発明し、二〇一六年九月にグーグルの地域社会貢献大賞を受賞した。

スタートアップ企業であるグロウィー社は、クラゲ、イカ、プランクトンに生息する発光バクテリアを利用して、ショーウィンドーや街路灯を照らそうと提案している。

クワルノ・コンピューティング社〔フランスのスタートアップ企業〕が開発したデジタル暖房は、コンピュータの排熱を再利用する。

また、デファブ社〔フランスのスタートアップ企業〕も、地域共同体に温水を提供するために、コンピュータのサーバーの排熱を利用しようとしている。

最も保守的な農民たちでさえ、土壌の持続性に関心を寄せている。というのは、化学肥料や農薬の濫用によって自分たちの農地が痩せてきたからだ。そこで、化学肥料と農薬の投入量を大幅に減らした有機的な農業が世界中で発展している。今日、世界では耕作可能な土地の二％でこのような農業が行なわれているようだ。[31] ちなみに、それらの農地の三分の一はアメリカにある。フランス、ブラジル、インド、ガーナでは、こうした農業に移行しつつある。

人類の団結

大量のヒトやアイデアが世界中を駆けめぐるようになった。ヒトやアイデアは互いに交わり、融合し、高め合う。こうして人類は相互依存を強め、団結を意識するようになる。

国連世界観光機関によると、一九九五年の外国人旅行客の総数は五億四一〇〇万人だったが、二〇一六年には一二億人になったという。

移民も世界の多様性を社会にもたらし、人類の相互依存を強め、連帯感を意識させてくれる。世界銀行によると、出生国以外で暮らす人口はおよそ二億四四〇〇万人だという。これらの人口には、少なくとも二〇〇〇万人の難民を加える必要がある。二〇一三年以来、移民人口は、「途上国から途上国」が「途上国から先進国」を上回っている。国際移民の三八％は途上国から途上国への移住であり、三四％は先進国で暮らすために途上国を離れた人々である。二〇一五年、国際移民が出身国に残った家族に送金した金額は、六〇〇〇億ドル近くに上る。

宗教も世界のさまざまな場所に人々を集結させる団結要因になっている。キリスト教徒の人口は二三億人だ。キリスト教の宗派で最も活動的な福音派の人口は五億八五〇〇万人であり、イスラーム教徒の人口は一五億人だ。

国際法の支配強化

人類は団結するようになった。こうした感覚を裏づける数多くの要素がある。たとえば、国際法の効力が強化されたのだ。

一九四九年に改訂され、現在では全世界が批准するジュネーヴ諸条約によって制定された、「国際人道法」とも呼ばれる武力紛争に適用される法律は、戦時中に容認される行為の限界を定めている。この法律はほぼ遵守されている。国家間での武力行使を禁じる国際連合憲章（ただし、正当防衛や集団的自衛権を行使する場合は除く）も同様だ。

国連は、二〇一六年に国連軍を動員して一六回の平和維持活動を行なった。ちなみに、一九九九年に国連軍が派遣されたのは二回だけだった。

専門分野の活動に特化する国際機関の発展により、経済や貿易の面でも法の支配が強化された。

たとえば、世界貿易機関（WTO）である。一九九五年一月の設立当時のWTO加盟国は一二八ヵ国だったが、二〇一六年には一六四ヵ国になった。真に超国家的な組織であり、国際法の基盤でもあるWTOの紛争解決機関（DSB）にもち込まれる貿易紛争の件数は増えている。

経済協力開発機構（OECD）は、世界の税制の透明化やタックス・ヘイブン消滅などのために、これまで以上に重要な役割を担っている。OECDがタックス・ヘイブンと見なした四〇ヵ国のうち三四ヵ国は、租税情報の開示および交換に関する協定に調印した。[32]

租税情報の交換に関して九〇の協定が批准され、世界規模の規範を採択するために六〇の租税条約が改訂されたのである。

世界規模で銀行業務を監督する際の規則を定める、バーゼル銀行監督委員会の役割も強化された。

国の管理から逃れようとする企業に科せられる罰則は強化されている。たとえば、サブプライム住宅ローン危機や国際的な経済制裁措置の対象国との貿易に関与した銀行に対する制裁金、租税回避に対するヨーロッパ当局の攻撃（例：アップル社に対する一三〇億ユーロの追徴金命令）、環境基準に反した企業に対する罰金などである。

法の裁きも地球規模で機能するようになった。常設仲裁裁判所を設立した二つのハーグ陸戦条約（一八九九年と一九〇七年の条約）のうち、少なくともその一つに調印した国は一二一ヵ国に上る（G20に属するすべての国が調印。ただし、インドネシアは除く）。世界中のほぼすべての国が国際司法裁判所に受諾の宣言をした。この裁判所には、三〇〇以上の二国間および多国間の条約の解釈または適用が付託された[33]。一九四六年に設置されて以来、この裁判所は一六四件の事件を扱った。事件の内容は、金融資産の差し押さえ、領土問題、国境をまたぐ河川の水の配分など、多岐にわたる。

これ以外にも国際海洋法裁判所や、人道に対する犯罪を裁く国際刑事裁判所など、世界規模で法的拘束力をもつ裁判所がある。地球規模の法の支配は、さまざまな手法によって民間の国際機関が後押ししている。たとえば、国際的な技術に関する規格と標準化において主要な役割を担う三つの組織がある（三つともジュネーヴを拠点にし、民間のメンバー同士のコンセンサスに基づいて運営されている）。

一つめは国際標準化機構（ＩＳＯ）である。ＩＳＯは一九四七年の設立以来、さまざまなもの（例：プログラミング言語、エネルギー効率、通貨コードなど）を対象に二万一〇〇〇以上の規格を策定した。

二つめは国際電気標準会議（ＩＥＣ）である。一九〇六年に設立されたＩＥＣは、電気工学、電子工学、ナノテクノロジーなどの技術を標準化する。ＩＥＣの加盟国はおよそ一三〇ヵ国に上り、これは世界人口の九七％以上をカバーしている計算になる。

三つめは国際電気通信連合（ＩＴＵ）である。一八六五年の設立以来、ＩＴＵは四〇〇〇以上の規格を定めた。

他方、世界では死刑を廃止する国が増えるなど、人権を尊重する傾向が拡大している。現在、死刑をいまだに執行する国は、世界全体の三分の一程度であり、二〇一〇年から二〇一六年にかけて八ヵ国が死刑制度を廃止した。アメリカでは二〇〇七年から今日までに五つの州で死刑制度が廃止され、死刑執行の数は半減した。

一九九〇年、女性を暴力から守る法律はほとんどの国で存在しなかった。だが現在では一二七ヵ国でこうした法律がある。二〇一三年から二〇一五年にかけて、六五ヵ国では男女平等を推進するための九四の改革が実施された。それらの国の大半は途上国だ。二六ヵ国では女性の労働市場への参入が容易になり、二三ヵ国ではあらゆる暴力から女性が保護される法律が定められ、一八ヵ国では女性の教育機会を増やす環境が整備され、九ヵ国では女性に対する銀行融資が促進され、四ヵ国では女性の所有権が強化された。男女平等の推進という観点から最も積極的なのは、アフリカのサブサハラ地域だ。この地域では、二〇一三年から二〇一五年にかけて一八の改革が実施された。[34]

一部のアフリカ諸国では同性愛者に対する迫害が激化しているが、一般的な傾向として同性愛者に対する社会的差別は緩和されつつある。同性愛者に対する社会的暴力が禁止されている国は、一九六〇年には二五ヵ国だったが、二〇一五年には一一〇ヵ国になった。

暴力の減少

各種データからは、世界中で暴力が減ったことがわかる。[35] 事実、われわれの直感には反するが、暴力の犠牲者をその絶対数ではなく世界人口の割合から相対的に検証すると、暴力は過去五〇年間に減少したことがわかる。

概観すると、今日の歴史家たち（ハーバード大学のスティーブン・ピンカーや「人間の安全保障報告計画」のアンドリュー・マックなど）の推計によると、暴力による年間の死者数を人口一〇万人当たりで表わすと、五〇〇〇年前は五〇〇人、中世は五〇人、現在は六・九人だという。ちなみに、現在のヨーロッパ地域は一人未満である。[36]

もう少し詳しくみてみよう。[37]

一九四五年以降、国家間の新たな戦争は、年にせいぜい三つくらいしか起きていない。一九八九年以降では、ほとんどの年で新たな戦争は起きていない。コロンビア政府とコロンビア革命軍〔反政府左翼ゲリラ〕は、二〇一六年九月に和平協定を締結した。これにより、アメリカ大陸における最後の武装闘争に終止符が打たれた。ヨーロッパでは、旧ユーゴスラビアでの戦争、そしてつい最近のウクライナとロシアの戦争が起きるまで、紛争はなかった。現在の紛争のほとんどは、世界人口のおよそ六分の一が暮らすマリからパキスタンまでの地域で起きている。

戦死する兵士の数を年間人口一〇万人当たりで表わすと、第二次世界大戦中は三〇〇人、朝鮮戦争時は二二人、ベトナム戦争時は九人、イラン・イラク戦争中は五人、二〇〇一年では〇・五人未満、二〇一一年以降では〇・三人である。[38]

紛争に巻き込まれて死亡する民間人の相対的な人数も大幅に減った。第二次世界大戦中、民間人の犠牲者は一〇万人当たり年間三五〇人近くだった（兵士よりも多かったのである）。同様に、一九八九年は〇・三人、ルワンダ虐殺があった一九九四年は一四・五人、二〇〇八年は〇・一人であり、それ以降の情報はない[39]。

これも直感に反するが、殺人事件の犠牲者の相対的な人数も急減した。たとえば、殺人事件の犠牲者の数を年間人口一〇万人当たりで表わすと、一六世紀のオックスフォードでは一一〇人、二〇世紀中ごろのロンドンでは一人未満だった。イギリスでのこの数値は、二〇〇三年に一・八人まで上昇したが、その後は減少し、二〇一四年は一人未満になった。イタリア、ドイツ、スイス、フランス、オランダ、スカンジナビア諸国でも、イギリスと似たような傾向が確認されている。世界で最も暴力がはびこる民主国家であるアメリカにおけるこの数値は、一九九一年は一〇人、二〇〇〇年は五・五人、二〇一四年は四人と下落した。

まとめると、国連によると、世界の人口一〇万人当たりの殺人事件の犠牲者の数は、二〇〇三年の七人から二〇一二年の六人になったという[40]。性的暴行や家庭内暴力も、表面化する事件だけではあるが、一九七〇年代から二〇〇〇年代半ばにかけて急減し、その後は横ばいで推移している。しかしながら、アメリカをはじめ全世界では、悪化していることが数多くある。さらにはこれまでになくひどい状況に陥っている場合さえある。これらの諸悪も不安定で危険な未来の構成要素になっている。

世界では多くの重要なことが、悲惨な状態になりつつある

現実には、われわれの誰もが世界の発展は一時的なものにすぎず、未来は過去の延長ではないだろうと思っている。事実、きわめて心配な要素は各方面に数多くある。これまで紹介した数々の進歩が台無しになる恐れがあるのだ。懸念材料は山積している。

高齢化する世界人口

二一世紀初頭より、世界人口は少子化と平均寿命の延びによって高齢化するようになった。

ここ五〇年、高齢者人口（六五歳以上）は増加し続けており、彼らの世界人口に占める割合は、一九五〇年の五・一％から二〇〇〇年の七・七％に上昇した。先進国では一九九

八年以降、高齢者人口は一五歳未満の年少人口を上回っている。今後、途上国と中進国の人口は先進国よりも急速に高齢化するだけに、この人類史上初の現象は、二〇五〇年には世界全体に広がるだろう。

フランスの場合、六五歳以上の人口割合が倍増（全体の七％から一四％に増加）するのに一〇〇年以上の年月を要したが、中国やブラジルなどでは、たった二五年くらいしかかからないだろう。

こうした高齢化はよいニュースとはいえない。なぜなら、経済成長や社会保障を維持することが、いずれ困難になるからだ。

他方、ベルギー、アイルランド、フィリピン、アメリカなどでは、平均寿命の延びが止まった。アメリカ疾病予防管理センター（ＣＤＣ）の推定によると、アメリカの平均寿命の延びは三年前から停滞しているという。

アンガス・ディートン（二〇一五年にノーベル経済学賞を受賞）の研究によると、一九九〇年以降、アメリカでは白人の壮年期人口の平均寿命は、麻薬、鎮痛剤、アルコールの過剰消費の影響、さらには自殺によって短くなっているという。

フランス国立統計経済研究所（ＩＮＳＥＥ）によると、一九六九年以降初の出来事として、フランス人の平均寿命は二〇一五年に短くなったという。男性が七九・四歳から七八・九歳、女性が八五・四歳から八五・〇歳になったのだ。実際には、平均寿命（生まれたときの死亡率に基づき、その子がその後生きるだろう平均の年数）の後退は、高齢化したベビーブーム世代が死亡率の統計を膨らませるためでもある。

医療サービスの乏しい地域での人口爆発

最貧国の人口は、三〇年ほどの間に倍増し、二〇一五年に九億五四〇〇万人に達した。とくにサヘル地域（おもに、マリ、ニジェール、チャド、中央アフリカ、ブルキナファソ〔サハラ砂漠南縁部に広がる半乾燥地域〕）は、合計特殊出生率が六から七を維持する世界唯一の地域だ。一方、この地域の乳幼児の死亡率は低下している。[41] 法の支配が脆弱なこれらの国々の人口を合計すると、今日では六七〇〇万人になる。

これらの国の中でも人口増加率が年率三％のマリは、人口が二四年ごとに倍増した。コートジボワールの人口は一九六〇年の時点より六・五倍も増えた。この国の人口に占める外国人の割合は四分の一に達した（フランスの人口にコートジボワールと同じ移民人口の増加率を当てはめると、今日、フランスの人口はアメリカを抜き、外国人の数は現在のフランスの人口よりも多い計算になる）。

移民の恵まれない境遇

人々が移民することによって、世界は団結するようになる。だが、それだけではない。移民の生活環境は悲惨な場合が多い。難民のおよそ八六%は、途上国が受け入れている。おもな受入国は、トルコ、パキスタン、レバノン、イラン、エチオピア、ヨルダン、ケニア、チャド、ウガンダである。

二〇一五年に先進国が受け入れた難民の数は一六〇万人にすぎない。

移民の通過点になったリビアには、地中海横断を控えるおよそ四〇万人の移民が一時滞在している。[42] 国際連合難民高等弁務官事務所は、二〇一六年初頭以来、二〇万四〇〇〇人がヨーロッパに向けて地中海を渡ったのではないかと推定している。

「移民ファイル」によると、二〇〇〇年から二〇一三年までに、ヨーロッパにたどり着こうとして二万三二五八人が死亡あるいは行方不明になったという。

国際移住機関（ＩＯＭ）によると、二〇一六年の最初の五ヵ月間に地中海を横断するルートにおいて、ＮＧＯならびにイタリアとギリシャの海軍が数千人の移民を救助したのにもかかわらず、およそ二五〇〇人が海上で命を落としたという。

二〇一五年の末、紛争の結果、およそ五〇〇〇万人の子供たちが避難生活を余儀なくされ、そのうち三一〇〇万人が外国で暮らしている。彼らのうちの一一〇〇万人が難民および難民申請者である。さらに一七〇〇万人が暴力や紛争から逃れるために自国内での移動を強いられている[43]。

アフリカでは、移民の三人に一人が子供であり、この割合は世界の平均の二倍以上だ。これらの子供たちには保護者がいないケースもあり、子供たちの一部は、暴力、人身売買、児童労働の犠牲になっている。

地球環境の悪化

都市部で暮らす人口の八〇%は、世界保健機関（WHO）の定める環境基準を超えた大気汚染にさらされている。途上国および中進国の人口一〇万人以上の都市の九八%では、WHOの定める大気汚染に関する基準が守られていない。

国連の報告書によると、世界の農地の三三%では、土壌の浸食、塩害、圧縮、化学物質による汚染などにより、深刻な被害が生じているという[44]。

ヨーロッパの農地の二五%では、集約農業や土壌の浸食による被害が確認されている。

ヨーロッパの河川の四〇%と地下水の二五%は深刻に汚染されている。これは農業活動ならびに化学肥料や硝酸塩の流出が原因だ。ヨーロッパでは、工業は二〇~二五%の河川と沿岸部の水質を汚染している。[45]

途上国の汚染水の八〇%は処理されることなく、河川、湖沼、海に流されている。[46]世界の死因の三・一%は、清潔でない水などの公衆衛生上の問題が原因である。毎年、一五〇万人の五歳未満の子供が不衛生な水を飲んで命を落としている。水質汚染の八〇%は、水源地に直接流入する、あるいは埋め立てられる廃棄物が原因だ。

少なくとも三億二〇〇〇万人の中国人は飲料水を確保できない。処理せずに飲用する中国の地下水の二〇%には、発がん性化学物質が大量に含まれている。

バングラディシュの土地の八五%には、ヒ素などに汚染された地下水が流れている。ちなみに、ヒ素はきわめて毒性の強い発がん性化学物質だ。

アメリカでは、河川の四〇%と湖沼の四六%はひどく汚染されているため、それらの河川や湖沼では、遊泳と釣りが禁止されている。

今日、二〇億人以上の人々は、家庭ゴミの回収や資源リサイクルのサービスを受けられないでいる。

毎年、一三億トンの食品廃棄物が発生している。温室効果ガス排出量の九%を占める原因でもあるこれらの食品は、量にして世界の飢餓撲滅に必要とされる二倍以上に相当する。

気候変動が世界におよぼす悪影響

世界の平均気温は、一八八〇年から二〇一二年にかけて〇・八五度上昇した。平均気温の上昇は一九七六年から加速し、一〇年で〇・一九度上昇した。一九八三年から二〇一二年までの期間は、過去一四〇〇年で最も暑かった。平均気温の高かった一五年のうち一四年は二一世紀になってからのことであり、二〇一五年と二〇一六年の平均気温により、地球が温暖化する傾向は裏づけられた。

海洋の温暖化に関しては、一九七一年以来、海水温は一〇年ごとに〇・一一度上昇している。これにより、雪氷圏の融解速度が加速している。グリーンランド（南極とならぶ主要な氷帽）の氷床の年間平均減少率は、一九九二年から二〇〇一年にかけて三四Gｔ〔一〇億トン〕だったが、二〇〇二年から二〇一一年にかけて二一五Gｔへと急増した。ちなみに、この減少率はその後も加速している。

氷床の融解により、海面も上昇している（一九〇一年から二〇一〇年は年間平均一・七ミリメートルだったが、一九九三年から二〇一〇年は三・二ミリメートルになった）。海面上昇により、生活圏に支障が生じている。二〇〇八年以降、毎年、自然災害によって二六四〇万人が移住を強いられている。そのうちの八六％は、水分気象学的な災害〔大吹雪、砂嵐、洪水、干ばつなど〕である。

総括すると、二〇〇八年から二〇一四年までの間に、気候変動が直接的な原因の災害により、一億五七八〇万人が移動を余儀なくされたのである。[47]

二〇一三年から二〇一四年にかけて発表された、気候変動とその将来的推移に関する「気候変動に関する政府間パネル（ＩＰＣＣ）」の第五次評価報告書によると、一九五〇年以降、人類の活動と地球温暖化との間にはきわめて強いつながり（九五％以上の相関関係）が認められるという。

その一つの証拠として、大気中の二酸化炭素濃度は、計測の始まった一九五八年の三一五ＰＰＭ（ＰＰＭ：体積比で一〇〇万分の一を表わす）から二〇一三年の四〇〇ＰＰＭへと著しく増加したことが挙げられる。

農業の暗い未来

気候変動により、一九六〇年以降、世界の食糧生産量も低迷する傾向がある。たとえば、温暖な地域では、一〇年ごとにおよそ一％下がっている。

世界規模では、コメは〇・一％、トウモロコシは一・二％、小麦は二％と、生産量が低下している。とくに、アフリカ諸国での穀物の生産量は低迷している。[48]アフリカではヘクタール当たり一・二トンだが、途上国全体では三トンだ。

一部の地域では牧畜と同様に、農業も人口の過密化によって不安定な状態にある。従来型の農業システムでは、人口密度が平方キロメートル当たり四〇人を超えると、農地の潜在能力が破壊される。ちなみに、サヘル地域の人口密度は、すでに平方キロメートル当たり一五〇人を突破したところもある。

他方、おもな農産物の価格は、肉は二〇一四年、野菜は二〇一二年をピークに、二〇一五年に下落した。[49]その結果、二〇一六年、穀物の世界生産量はおよそ〇・二％微減して二五億トンになった。

さらに、一部のOECD諸国における河口域や沿岸部水域の窒素汚染の四〇％は、化学肥料の投入、農薬、硝酸塩、リン、鉛などによる水質汚染など、農業が引き起こす公害に原因がある。農業による公害は、富栄養化の主因にもなっている（水中の植物が大量に増えるため、水中の生態系が破壊される）。[50]一部のOECD諸国では水源（地下水を含む）の六〇％以上が農薬で汚染されている。たとえば、二〇一〇年の調査によると、アメリカでは河川の六〇％、湖沼の三〇％、河口域と沿岸部水域の一五％の汚染は、農業に原因がある[51]。

化学物質が人体に有害な影響をおよぼすことを示す研究も増えている。モンサント社の「ラウンドアップ」をはじめとする非選択性〔どの植物にも効果をもつ〕の除草剤の有効成分であるグリサホートは、哺乳類のホルモンの働きを乱す、内分泌かく乱物質の恐れがある。この化学物質は先天性奇形や悪性腫瘍の原因かもしれない。

さらには、遺伝子組み換え作物の危険性を示す研究がいくつかある。二〇一一年にカナダの研究チームは、胎児と（妊娠中であるかどうかを問わず）女性の血中に、殺虫剤とモンサント社のＢｔ毒素を確認した。それらの毒素は遺伝子組み換え作物を使った食品を経由したと考えられる。研究者たちによると、それらの毒素が母親から胎児に伝達されるリスクを確認する必要があるという。殺虫剤の毒性を考慮すると、これは懸念すべき研究結果だ[52]。「責任ある技術者協会（ＩＲＴ）」の最近の研究によると、遺伝子組み換え作物の摂取とグルテン過敏症の増加にはつながりがあるという[53]。

農業に関する懸念材料をもう一つ指摘しておきたい。市場経済によって農民たちは種子を毎年購入せざるをえなくなり、種子を交換することもできない〔農民たちは大企業の提供する収穫量の多い交配種を利用するため、種子を一代限りしか使えない〕。多国籍企業をはじめとする民間企業による生物特許が横行しているのだ。こうした傾向はアメリカでは昔からあったが、ヨーロッパでも始まり、農作物の多様性が脅かされている。

種子市場は、モンサントーバイエル社、デュポン社、シンジェンタ社による寡占状態であり、種子の特許の五〇%以上はこれら三社が保有している。こうした寡占状態により、それらの多国籍企業は、自社の種子を高値で農民に押し付けている。最終的なツケを払わされるのは消費者だ。また、寡占状態では種子市場に新たな品種があまり出回らないようにもなる。

それらの多国籍企業は、遺伝子工学を駆使しているという印象を醸し出すために特許の数を増やそうとしている。それらの企業が種の多様性を保護する国際的な種子バンクの種を利用して開発を進めるのなら、これは生物資源盗賊行為といえよう。とはいえ今日、種子の専門家たちが打ち明けるには、在来種による収穫量のほうが遺伝子操作した種子よりも多いという[54]。

低迷する経済成長

先ほど述べたように、大きな技術進歩が期待されるにもかかわらず、奇妙なことに労働生産性は向上しない。アメリカの労働生産性は、一九五〇年以降、平均して年率二％の伸び率だったが、現在は〇・六％だ。ヨーロッパも同様であり、労働生産性の伸び率は一％未満だ。

結果として、人口増加や技術進歩にもかかわらず、世界の経済成長は、一九六〇年から一九七四年までの期間は平均して年率五・二％だったが、二〇〇二年から二〇一五年までの期間は平均して年率二・八％と減速したのである[55]。

国によっては生活レベルが下がった。二〇〇七年の生活レベルを取り戻すのは、スペインが二〇一七年、ポルトガルが二〇二〇年、イタリアが二〇二四年、ギリシャが二〇二九年である。中央アフリカ、アフガニスタン、イラク、シリア、ブルキナファソのように、生活レベルが劇的に低下した国もある。

加速する富の偏在

クレディ・スイスの「二〇一五年度グローバル・ウェルス・レポート」によると、現在、富裕層上位一〇％が世界の富の八七・七％を所有しているという。富の偏在は国内にもみられる。たとえば、アメリカでは、大企業の経営者と平均的な社員の年収格差は、一九六五年では二〇倍だったが、現在は二七六倍だ。アメリカの富全体に占める富裕層上位〇・一%の資産の割合は、七%から二二%へと上昇した。一方、下位九〇%のこの割合は一九八五年の三七%から二二・八%へと下落した。

富裕層上位〇・一%のさらに一〇%は、アメリカの富の一一%を所有する。この割合は一九七〇年代末から八・八%増加した。[56]新興国においても経済成長の果実は、往々にして一握りの人々が独占している。

こうした格差は資産以外の分野にもみられる。たとえば、二〇一五年に生まれた女性の平均寿命は、日本人なら八六・八歳、シオラレオネ人なら五〇・八歳だ。シオラレオネは男女とも平均寿命が最も短い国だ。教育などの非物質的な側面についても著しい格差が散見される。

一般的に、富は大規模に適用されるイノベーションを手中に収める者の懐に集中する。そして技術が進歩すればするほど、労働者の実労働時間と賃金の隔たりは大きくなる。今日、先進国一九ヵ国では、こうした隔たりは二〇年前の二倍以上にもなった。[57]

さらに、多くの国では貧者への富の移転は滞り、効率的でなくなった。これは国家間においても同様である。世界銀行によると、新興国への資金の移転は二〇一五年に微増したが、一般的にこれらの資金は腐敗した指導者層によって浪費されているという。

貧困化する先進国の中産階級

二〇〇五年以降、先進国の中産階級の税金と社会保障費を差し引く前の収入は、世界中で横ばい、ないし減少している[58]。

先進国上位二五ヵ国の世帯の六五％（五億四〇〇〇万人から五億八〇〇〇万人に相当する）は、二〇〇五年から二〇一四年にかけて、収入が横ばい、ないし減少した。一九九三年から二〇〇五年の期間では、収入が横ばい、ないし減少した世帯は二％にすぎなかった（一〇〇〇万人未満）。

アメリカでは二〇〇八年以降、中位所得が急落している。世帯の資産の額は一九九六年よりわずかに上昇しているが、借金の額は一九八〇年の九三〇〇ドルから二〇一五年の六万五二〇〇ドルへと膨らみ、世帯の貯蓄率は一九七一年の一三・三％から現在の五・一％へと急落した。結果として、アメリカの生産人口に占める中産階級の割合は、一九七一年の六一％から五〇％になった[59]。

先進国政府が実施する所得分配と減税により、抜本的な解決にはいたっていないが、中産階級のこうした貧困化には歯止めがかかっている。

ＯＥＣＤ諸国の人口の六五％の人々の収入が横ばい、ないし下落しても、可処分所得が低下したのは一〇％の人々にすぎない。

たとえば、アメリカでは減税と社会保障費の調整により、全世帯の八一％の収入が減ったが、ほとんどの世帯（九八％）の可処分所得は増えた。

アメリカとは反対に、イタリアでは、ほとんどの世帯（九七％）の収入と可処分所得は減少した。

スウェーデンでは、収入が横ばい、あるいは減少したのは全世帯の二〇％のみであり、ほとんどの世帯（九八％）の可処分所得は増えた。

フランスでは社会保障費の調整により、中位可処分所得は三％増加し、中位所得以上の世帯の可処分所得は増えた。

二〇一五年、世界の中産階級人口は一五億人だ。これは世界の雇用の五〇％に相当し、途上国では中産階級の拡大が鈍化していることもあり、世界の中産階級人口の増加ペースは鈍化する見込みだ。

このような状況は深刻な危機をもたらす。歴史を振り返ればわかるように、中産階級がプロレタリア化すると反乱を起こす。彼らはソーシャル・ネットワークで富裕層の豪奢な暮らしぶりを目の当たりにし、著しい格差を容認しなくなる。「激怒」の社会構造の原動力はおもに中産階級に宿るのである。

はびこり続ける極貧

アジアや南アフリカでは人口に占める最貧困層の割合は急減したが、アフリカのサブサハラ地域の最貧困層の数は、一九九〇年の二億八四〇〇万人から二〇一五年の三億四七〇〇万人へと増加した。

途上国では一日の摂取カロリーが二二〇〇キロカロリーに満たない状態で暮らす人々の割合は著しく減ったが、いまだに七億七六〇〇万人の人々が栄養失調の状態にある。

安全な飲料水を利用することができない人々は、七億五〇〇〇万人もいる。アフリカ人口の三六％の人々には水飲み場がない。

公衆衛生設備を利用できない人々は一〇億人いる。水洗式便所を利用できない人々は二五億人いる。たとえば、ニジェールの農村部で電気を利用できるのは、人口の〇・二％にすぎない。

破綻寸前の教育システム

教育システムは、世界中で思うように機能していない。教師の権威は失われた。ほとんどの生徒は現代社会で働くために必要な知識を身につけずに学校から離れる。

アメリカでは、学校に通っても学習能力は向上しないと考える生徒の割合は八〇％にも達する。また、学校に通うおもな理由の一つは学習だと考えない生徒の割合は六〇％である。[60]

スウェーデンはこれまで教育システムのモデルとされてきたが、「OECD生徒の学習到達度調査（PISA）」では、生徒の読解力、数学的リテラシー、科学的リテラシーの三つの分野の点数は、一〇年前から下がっている。

フランスでは毎年、一五万人近くの若者がきちんと読み書きのできない状態で学校から離脱してしまう。

途上国では、学校に通えない子供が五七〇〇万人いる。そうした子供たちの半数以上はアフリカのサブサハラ地域で暮らす子供たちだ。就学したとしても就学期間はきわめて短い。国際連合開発計画（UNDP）によると、学校に通える平均年数は、ナイジェリアの子供で五・四年、マリの子供で七年である。アフリカ諸国の初等教育の修了割合は、二〇一五年で六七％にすぎない。この数値は、アフリカの四四ヵ国中二四ヵ国では七〇％を超えている。

二〇〇〇年から二〇一二年までの期間のGDPに占める教育費の割合は、アフリカを除く途上国全体では、四・七％から四・六％に下がった[61]。

ブラジルの教育システムは、四〇〇〇万人の子供たちに基礎学力を授けられる状態にはない。

二〇一五年、インドできちんとした教育を受けられたのは人口の半数以下である。GDPに占める教育費の割合が四％未満のインドは、教育面での遅れを蓄積している。インドの公立学校の教師たちの多くは自分たちの職場を信用していないため、自身の子供を私立学校に通わせている。

多くの国では、学校の教育カリキュラムに宗教色が強まったため、科学と理性の場としての学校の機能が弱まっている。

破綻寸前の医療システム

医療システムも世界中で財政難であり、最貧者が医療サービスを利用するのは以前にもまして困難になった。すべての伝染病に対して充分な対策がとられている状態にはない。二〇一〇年以降、世界のほとんどの地域でヒト免疫不全ウイルス（ＨＩＶ）が再流行している。二〇一六年、後天性免疫不全症候群（ＡＩＤＳ）の感染者の数は世界中で三七〇〇万人だ。感染者の七〇％はアフリカのサブサハラ地域の人々だ。二〇一〇年から二〇一五年の期間にかけて、感染者の数は毎年一九〇万人増加しているとみられる。

地域別にみると、東ヨーロッパと中央アジアが五七％、カリブ諸国が九％、北アフリカと中東が四％、ラテンアメリカが二％の増加である。減少に転じたのは、東および南アフリカの四％減、アジア太平洋地域の三％減の二つの地域だけだ。

公衆衛生上の新たな挑戦が明らかになった。

アメリカでは、従来型の抗生物質に耐性をもつ細菌による感染症が二〇〇万件以上も起きたため、アメリカの医療システムには、二〇〇億ドルの医療費が新たに生じている。[62]

世界では薬物に耐性をもつ菌種（ＨＩＶ、結核菌、マラリア）が原因で、毎年七〇万人が死亡していると推測される。

多剤耐性結核〔治療薬に耐性をもつ結核菌〕では、毎年二〇万人近くの人々が命を落としている。

インドでは、抗生物質に耐性をもつ新生児感染症によって毎年六万人の新生児が亡くなっている。

そしてこれらすべての数字は増加する傾向にある。

脆弱な国際金融システム

銀行の国際部門は脆弱性を増し、その収益性は低下している。銀行は銀行法の厳格化と低金利の影響から国際的なファイナンス業務を減らしている。

国際的なファイナンスは銀行に代わり、一九八〇年代に登場したシャドー・バンキング（影の銀行）が担うようになった。通常の銀行業務以外の金融仲介業務を行なう企業が、シャドー・バンキングだ（投資銀行、ヘッジファンド、通貨基金、年金基金、証券会社、投資会社、資産管理会社など）。国や中央銀行がこれらの企業を監督することは一切ない。これらの企業は世界の金融資産の二五％を管理し、これは世界の一年間のＧＤＰに相当する。シャドー・バンキングは与信管理が甘く、リスクの非常に高い融資を行なうため、世界経済に大きな危険をもたらす恐れがある。

そうした事情に加え、インターネット上の新たなファイナンス技術が何の規制もなく急速に発展している。たとえば、中国では巨大「フィンテック」（アリペイやテンペイなど）の顧客数は、すでに大手銀行と同等、さらには上回っている。[63]

膨張し続け、制御不能に陥る公的債務

すべての国は公的債務の解決を先送りにし、歳入が不足しているのにもかかわらず、公的債務によってあらゆるものをファイナンスしている。

こうして世界の（公的および民間の）債務は二〇〇八年に五七兆ドルに達し、二〇一四年には世界のGDPのおよそ三〇〇％に相当するようになった。これは史上最大である。

民間部門の債務は、一九九九年の対GDP比一三〇％から二〇一五年には一五〇％になった。

先進国の公的債務の対GDP比は、二〇〇一年の七一％から二〇一三年の一〇〇％へと増加した。日本の公的債務は、一九九〇年の五九％から二〇一六年の二三〇％へと急増し

た。

膨張する公的債務の一部は中央銀行が引き受けた。その割合は、アメリカが一六％、イギリスが二四％、日本が二二％だ。

近年、こうした巨額の公的債務により、いくつかの国が破綻した。

一九九八年八月、ロシア政府は期日までに債務の支払い（歳入の一四〇％に相当する債務の利払い）ができなくなり、（国内ならびに外国に対して）債務不履行に陥った。

二〇一三年、キプロス政府は破綻寸前のキプロス銀行（キプロス最大の金融機関）に資本注入しようとしたが、債務額が大きすぎるために断念した。この銀行の大口預金者たちは、預金の一〇万ユーロを超える部分の四七・五％を徴収された。

最近、ギリシャも同様の規模の破綻に見舞われた。

ベネズエラ政府は、手持ちの外国通貨の一部で生活必需品を購入し、国民に配給しているが、現在のところ、債権者への利払いを続けている（二〇一六年に一〇〇億ドル以上を返済しなければならない）。

二〇一六年、ヨーロッパ諸国をはじめ多くの国は似たような状況にある。低金利によって自国の債務の現状をごまかしているにすぎないのだ。イタリア、ポルトガル、そしてまもなくフランスも財政破綻という暗礁に乗り上げる恐れがある。

債務軽減の窮余の策：マイナス金利の適用

銀行に融資を拡大させるように仕向け、公的債務のコストを減らすために、先進国の中央銀行は現在、マイナス金利で資金を貸し出している。つまり、中央銀行に預金する銀行を咎め、銀行が国や企業に貸し付けるための資金を中央銀行から借りてもらうために銀行に金利を支払うのだ。今日、一九兆ドルの債務にマイナス金利が適用されたため、銀行をはじめとする金融機関は、収益の見込めないプロジェクトに融資できるようになり、企業の株価は押し上げられ、債務コストはなくなった。

しかし、この政策により、銀行や生命保険会社は収益の見込めない投資を実行する一方で、保険会社は自分たちの顧客に利回りを約束しているため、保険会社の経営状態は悪化している[64]。そこで、保険会社は顧客から預かった資金をリスクの高いものに投資することが考えられる。保険会社が高いリスクをとれば、当然ながら保険会社の経営基盤は危うくなる。ところがヨーロッパ当局は、ソルベンシーマージン比率〔保険会社の健全性を示す指標〕を計算するにあたって、保険会社は超長期債券の高い利回りに基づくことができると定めた。

しかし今日、この債券の設定利回り（ドイツでは年率四・二%）は、実際の利回りと比較してあまりにも高いため（ドイツの三〇年物国債の年利回りは〇・四%）、多くの保険会社は金融ショックにさらされている。

こうした政策は限界に達しているのである。

知的所有権の侵害

世界では知的所有権が統一されていないため、輸入品全体の二・五%に相当する模造品市場が勢いづいている。特許をもつ企業の損失に加え、このような法の不備により、さまざまな危険がある。

第一に挙げられるのが公衆衛生上の危険だ。たとえば、薬品、食品（とくに、離乳食）、自動車部品などの模造品は、深刻な事故を引き起こす恐れがある。[65]

さらに、模造品をめぐって犯罪ネットワークやテロリストが跋扈する。国連によると、模造品は彼らにとって二番目に大きな国際的な資金源だという。

そして、模造品は正規品の発案国の雇用を破壊する。たとえば、ＯＥＣＤによると、フランスでは模造品によって四万人の雇用が奪われたという。

失われる報道の自由

アメリカでは紙の新聞の数は、二〇〇四年から二〇一四年の一〇年間に、二三七二から二二五四へと減った。[66] アメリカでは、一九八三年では五〇の企業がメディアの九〇%を経営していたが、二〇一一年では六つの企業に集約された。[67]「国境なき記者団」によると、二〇一六年、報道の自由に関するランキングでアメリカは一八〇ヵ国中四一位にすぎないという。

少数の企業がメディアを経営するこうした傾向は、他の西洋諸国にもみられる。たとえば、イギリス（三つの企業が日刊紙の七〇%を傘下に収める）[68]、オーストラリア（二つのグループが日刊紙の九〇%を経営）[69]、フランス（十数社でほとんどの大手メディアを所有）である。

たしかに、こうしたメディアの凋落は、インターネットの情報サイトの登場によって補われてきた（詳しい数字は存在しない）。従来型のメディア、インターネットの情報サイト、利用者が読みそして情報を生み出すソーシャル・ネットワーク（フェイスブックやツイッターなど）との境界線は、さらに曖昧になった。[70]

民主主義の後退

民主主義の拡大が停止し、さらには形式的に存在していた地域では、民主主義が後退している。

ついに全世界の真の支配者になった市場は、選挙民を消費者のように、そして政治指導層を従業員のように扱い、彼らを隷属させた。市場は時間の概念さえも変化させた。人々の平均寿命がさらに延びているとしても、全員の時間の尺度は、これまで以上に、即時、瞬時になった。政治に関する世論調査や市場経済は、短期的な影響を最優先するようになったため、次世代の利益は考慮されなくなった。

大きく発展した民主主義は、一〇年ほど前から後退している。民主主義体制の国は多数派ではなくなったのだ。実際に今後、民主国で暮らすのは世界人口の四〇%だけである。最も衝撃的なのは、表現の自由の後退と法の支配の脆弱化である。[71] フリーダム・ハウスによると、二〇〇六年から二〇一六年までの一〇年間、世界では自由が後退し続けたという。[72] 過去数十年間に、表現の自由や法の支配などに関する公衆の自由は、一〇五ヵ国で著しく後退し、大きく改善したのは六一ヵ国のみである。

西側諸国では、ナショナリズムに煽られてアイデンティティの危機が再燃している。ナショナリストたちの政党は、選挙で勝利し、権力を手に入れた。彼らは、司法、行政、社会秩序、メディアを掌握して独裁に近い体制を敷く恐れがある。[73]
今後、民主主義に見せかけた独裁制という偽物の民主主義が登場し、独裁者のような輩たちによる統治が始まるかもしれない。
こうした傾向は、専制的な国家モデルが行き詰まり、一次産品の価格下落によって不安定化している新興国にも確認できる。

国家を牛耳る大企業

民主主義がこのように終焉を迎えるというのは理解できる。国の市場に対する権力はさらに失われ、企業は自分たちの生みの親である国に対して忠誠心を抱かなくなるのだ。
ＯＥＣＤによると、世界では企業の租税回避によって、国の税収は年間二四〇〇億ドル失われているという。これは世界の法人税収の四～一〇％に相当する。[74]
アメリカも企業の租税回避の犠牲になっている。アメリカ議会の調査では、二〇〇四年から二〇一四年までの期間、アメリカの多国籍企業四七社は、節税目的から本社を外国に移したと推測している。[75]アップル社は、アメリカで利益を計上して納税するよりも借入の状態のほうが節税できると判断し、二〇〇〇億ドル以上の現金をアメリカ国外にもち出し、本国アメリカに資金を送還することを拒んでいる。[76]

企業は安全保障についても国と衝突するようになった。たとえば、アップル社はテロリストのｉＰｈｏｎｅのデータ解析を求める連邦捜査局（ＦＢＩ）に反発している。アップル社は、顧客のデータ保護を名目にこうした要求を常に拒否している。

一方、企業は自社の株主の国籍が多様化していることを背景に、国に忠誠心を示さなくなった。企業の外国人の持ち株比率は、イギリスのＦＴＳＥ１００が五〇％以上、[77]フランスのＣＡＣ40が四五％以上、ドイツのＤＡＸが五〇％以上、[78]日本の日経平均株価が三二％である。[79]世界で最も流動性が高く奥行きの深い金融市場をもつアメリカでも、この比率はＳ＆Ｐ５００の一六％以上だ。[80]

そして巨大企業は、民主主義の下す決定にさらなる影響力をもつようになった。二〇一五年、アメリカでは政府の意思決定に働きかけるために、二〇の企業および団体のロビー活動だけで、四億二〇〇〇万ドル以上のマネーが動いた。[81]ブリュッセル〔ＥＵ本部〕には三万人以上のロビイストが活動しており、彼らはＥＵ法案の七五％に影響力を行使してきた。[82]

吹き荒れる保護主義の嵐

このように無力な状態に置かれる国は、対応策としてあらゆる種類の障壁を築こうとする。国際貿易は減速し、保護貿易障壁はいたるところにそびえ立つ。たとえば、二〇一一年以降、世界のＧＤＰは二〇％増加したが、国際貿易は停滞した。そして二〇一五年に政府に対する補助金や保護貿易に対する請願は四〇％増加した。二〇一五年一〇月中ごろから二〇一六年五月中ごろにかけて、Ｇ20諸国は、貿易自由化措置を一〇〇件採用する一方で、貿易制限措置を一四五件導入した。

ヨーロッパとアメリカのおもな保護貿易措置の目的は、鉄鋼や化学製品（ゴムやプラスチック）などの原材料製品の中国からの輸入を制限するためだ。どの国も他国企業の比較優位をこれまで以上に厳しく罰するため、報復合戦が生じている。

ヒトの自由な移動に対しても、さらなる制限が設けられている。全世界、そしてとくにヨーロッパでは、ほとんどの人々がヒトの移動を制限すべきだと考えている。

保護主義もますます強まっている[83]。たとえば、ＣＢＳ放送とニューヨーク・タイムズの最近の調査によると、アメリカ人の五七％は、他国との貿易は結果としてアメリカの雇用を奪っていると考えている（一九九六年では四〇%）。

一般的に、国境の解放と移民について最も否定的な意見を述べ、ナショナリズム政党を支持する傾向があるのは、収入が低迷している人々だ。アメリカではこれらの人々の五〇%以上は、「外国の財とサービスの流入によって国内の雇用が減少する」という主張に共鳴する。一方、これらの人々の二九%あるいは収入の増えた人々は、そうした主張に与しない。[84]

保護主義を求める声は、ヨーロッパとラテンアメリカのほぼ全域で聞かれる。保護主義の台頭こそが、大危機の前兆なのである。

超大国アメリカの危うい経済成長

アメリカ社会は繁栄を取り戻したかのように見えるが、ますます脆弱になっている。二〇〇八年の金融危機以降、アメリカ人世帯の実質中位収入は、二〇〇七年の五万七〇〇〇ドルから二〇一四年の五万三〇〇〇ドルへと急落した。

今日、アメリカの貧困層は公式の数字で四七八〇万人だ。これはアメリカ人口の七人の一人に相当する。二〇〇九年から二〇一六年にかけて失業率は半減したが、生産年齢人口に占める就業者の割合は、一九七七年以来、最低である。アメリカでは白人の平均寿命は、二〇一三年から二〇一四年にかけて七八・九歳から七八・八歳へと、わずかに縮まった。

アメリカの公的債務は一九兆ドルを突破し、オバマ政権発足以来、ほぼ倍増した。公的年金を加えると、アメリカの財政難は混迷を深める。アメリカの公的年金システムを維持するには、三兆四〇〇〇億ドルの資金が足りない。

将来的にこのシステムをバランスさせるには、州と都市の負担割合を現在の歳入の七・三%から一七・五%まで引き上げなければならない。だが、これは無理である。シカゴ、ヒューストン、ダラスなどの都市、イリノイ州とオハイオ州はすでに破綻寸前である。連邦政府と地方政府の債務を合算して実際の公的債務の総額を計算し、その将来の償還額の現在価値から、税収をはじめとする予想される歳入の現在価値を引くと、その差額はGDPの一二倍にも相当する。さらにこれに民間の年金基金の支給額も加わる。民間の年金基金は企業が賄うことになっているが、そうはならないだろう。

アメリカのインフラ設備の老朽化も多くの問題を引き起こす。アメリカ運輸省によると、道路の老朽化が原因で二〇一三年には一万四〇〇〇人が死亡し、一一四億ドルの医療費が発生したという[85]。飲料水が原因の伝染病（上水道システムの老朽化[86]）によって多数の人々が亡くなっている。

アメリカでは、成人女性の四〇%、成人男性の三五%、子供と若者の一七%が肥満だ。肥満は深刻な社会問題になっている。[87] また麻薬による被害は甚大である。

これらの公衆衛生上の問題以外にも、アメリカでは文字の読み書きができない人々が三二〇〇万人近くいる。これはアメリカ人口の一〇%に相当する。成人人口の二一%は、一〇歳児向けの文章を理解できず、中等教育を終えた若者の一九%は文字の読み書きができない。[88]

アメリカの少数派は、社会的に恵まれていない。アメリカ人口に占めるアフリカ系アメリカ人の割合は一二・四%だが、二〇一五年に大企業の取締役に新たに任命された人々全体に占めるアフリカ系アメリカ人の割合は、九・三%にすぎない。アメリカ人口に占めるヒスパニック系の割合は一六・七%だが、ヒスパニック系の人物が最高経営責任者（CEO）を務める企業は、『フォーチュン500』にランキングされる五〇〇社のうち九社のみだ。

不透明な中国の経済成長

中国がアメリカの超大国としての地位を継承することはない。

中国政府は、二〇一五年の自国の経済成長率を六・九％と発表した。これは過去二五年間で最低の数値だ。ところが、実際の中国の経済成長率はもっと低い。

中国では、過剰投資が継続し、内需不足であり、生産設備に恐ろしいほどの無駄がある。貧富の差は拡大している。とくに都市部と農村部では収入が三倍も異なるなど、国民の間に著しい格差がある。企業と銀行は過剰債務であり、破綻寸前だ。

天然資源の希少性は高まっている。中国の原油輸入依存度はすでに五八％だ。国内の耕作可能な土地の二〇％はすでに汚染されているため、中国は食糧のさらなる輸入を強いられている。

中国では公害により、毎年一六〇万人が早死にしている（死者の一七％に相当）。一日当たりの計算では四四〇〇人になる。中国の大都市で暮らすのは、一日当たり四〇本のタバコを吸うのに等しいくらい健康に悪い。

国家主席になった習近平は、前任者たちと異なり、安定的な支持基盤をもたない。その理由は、国家主席に就任して以来、多数の高官を逮捕し、相次ぐ大規模抗議デモを暴力でねじ伏せ、そしてメディアの規制を強化したからである。

政治力のないヨーロッパ

ＥＵは経済大国だが、安定的な勢力ではない。フランスとドイツの経済的および人口学的な不均衡は著しく拡大した。こうした不均衡がＥＵに必要な改革の妨げになっている。

欧州委員会およびそこで働く三万三〇〇〇人の職員たちは、民主的に付与される明確な権限をもたない。また、この委員会には機関としての機能がないため（本物の民主主義の不在、そしてバンキング・ユニオン〔銀行の監督の一本化〕、財政統合、共通の公的債務限度の設定、安全保障の一本化、移民流入の管理などの失敗）、ヨーロッパの経済成長率は低く、失業率は増加している。とくに、ヨーロッパの若年層の長期失業者の割合は、二〇〇八年から急増した。二〇〇四年の平均二〇％から二〇一四年には三四％にまで達したのである。二〇一三年では、ギリシャがおよそ六〇％、スペインが五〇％、イタリアが四〇％だった。

ようするに、ＥＵは共通の法律のない単一市場は失敗する運命にあることを証明したのである。中央銀行を統一するだけでは、法の支配は共通化されないのだ。

頭角を徐々に現すロシアやインド

ロシアに超大国になる要素が揃っていることは否めない。広大な領土には天然資源が豊富にあり、二つの大海〔太平洋と大西洋〕と二つの海〔黒海とカスピ海〕に面している。量的な軍事力に関して、ロシアはアメリカに次ぎ世界第二位だ（兵士の数、航空機の数、航空母艦の数など）。

今日、中国の軍事予算は世界第二位であり、二六〇〇個の核弾頭を保有する。

世界最古の民主国家インドは、二〇二二年ごろに人口ランキングで中国を抜き、世界一になる。一九九八年から核保有国（国際条約では認められていない）とみなされているインドは、およそ一〇〇個の核弾頭[89]（ちなみに、フランスは三〇〇個）と、これを搭載するさまざまな射程距離の弾道ミサイルを保持している。インドの軍事予算は、一九八八年から二〇一一年の期間に対GDP比で三％にまで上昇した。インドの軍備予算は世界第七位だ。

パキスタンは核を保有する世界第九位の軍事大国だが、核不拡散防止条約（NPT）には批准していない。パキスタンは中国の支援を取りつけ、戦略兵器を増強すると宣言した

（世界に現存する一万七三〇〇個の核弾頭うち、一〇〇個から一二〇個を保有する）。

現在、北朝鮮は、韓国、日本、グアム島のアメリカ軍基地に到達する弾道ミサイルを保有している。北朝鮮の強みは、一一〇万人の兵士を擁する軍隊だ。兵士の数では世界第四位だ[90]。北朝鮮の軍隊は、六〇〇〇台以上の各種装甲車、およそ二万一〇〇〇台の火器、五〇〇機以上の爆撃機、七〇隻の潜水艦をもつ。兵士の数では、北朝鮮の軍隊は韓国の二倍だ。アメリカの軍事関係者によると、北朝鮮は、炭疽菌やペストなど、一三種類の生物兵器を開発しており、これらの兵器を「テロ行為や全面戦争の際に利用する恐れがある」という[91]。

日本では世論の反対にもかかわらず（日本人の五六％は、日本が外国での戦闘に参加できるようにするための憲法改正に反対している）、日本政府は中国と北朝鮮の脅威に立ち向かうために再軍備を進めている。日本は電力で動く新型潜水艦（周辺海域での戦闘に威力を発揮する）を二二隻に増やす。航空自衛隊も中国軍の戦闘機よりはるかに高性能のF35戦闘機を配備するなど、日本は軍備を増強する。

韓国の年間の軍事予算は三〇〇億ドルだ。韓国軍は、六二万五〇〇〇人の兵士と二九〇万人の予備役からなる。日本と同様に、韓国も兵士の数は少ないが軍備は（おもにアメリカの支援により）周辺国よりも充実している。

能力不足の国際機関

市場のグローバル化が猛威を振るうため、国際機関の役割が再考されている。国連は、自分たちの正当性を擁護するのに苦労している。（国連のおもな目的である）世界平和の維持は、国際的なテロリズムの拡大や違法取引の増加によって失敗に帰した。これらの脅威をもたらす悪は、領土に根差して国という枠組みで活動する輩ではないため、国連は、彼らに対してなす術をもたない。国連の安全保障理事会も、一九四五年当時の勢力配分を反映させた仕組みであり、時代遅れの機関という印象は否めない。国連加盟国の間では、国連の意思決定プロセスは民主的なメカニズムや透明性を欠いているという不満の声が高まっている。

国際司法裁判所は、世界的な法の枠組みを構築するための決定的な機関になれなかった。訴訟手続きは遅く（三年から八年）、多額の費用が必要であり、法的強制力に乏しく（国際的な令状が発せられるのは稀だ）、途上国支援の際などの案件では西側先進国の視点に偏っている。

国連の庇護のもとに一九九七年に発効した化学兵器禁止条約（ＣＷＣ）には、世界人口の九八％と化学産業の九八％に相当する一八八ヵ国が批准している。だが、これらの大量破壊兵器の利用が完全に禁止されている状態にはない。化学兵器の二大保有国のアメリカとロシアは、冷戦時に製造された大量の化学兵器を破棄処分できずにいる。中国は化学兵器に関する研究を続け、北朝鮮は、マスタードガス、ホスゲン、サリン、ＶＸガスなどの化学兵器を保有していると思われる。[92]

世界貿易機関（ＷＴＯ）は、先進国と多国籍企業に有利になるような決定を下す。こうした傾向が小国の交渉力を弱めている。たとえば、ＷＴＯは途上国に対して外国製品に対する市場開放を迫る一方で、先進国の農業保護政策を容認する。二〇〇一年に行なわれた国際貿易の自由化を目指すドーハ・ラウンドが失敗に終わってから（ＷＴＯが主催した最後の多角的貿易交渉）、ＷＴＯは立ち往生している。

世界銀行と国際通貨基金（ＩＭＦ）に対する批判の声が聞かれる。たとえば、効果の乏しい政策、硬直化した組織、民主主義より市場を優先する「ワシントン・コンセンサス」（自由貿易、規制緩和、民営化）と呼ばれる教義、さらには実践力のなさ（選択するプロジェクトに経済効果が期待できない、プロジェクト開始後の支援がない、地元の意向を無視したプロジェクトの選択）、開発支援がらみの汚職の恐れなどだ。

ところで、大きな経済発展を遂げたのは、最も支援を受けなかった国（インドと中国）

だ。これとは逆に、最も支援を受けた国（たとえば、国際支援金が国家予算の六五％以上を占めるブルキナファソやマリなど）は、低開発という牢獄に閉じ込められたままである。

社会と家族の崩壊

女性の社会的地位は確かに向上したが、近年になって足踏みしているようだ。世界の生産年齢人口に占める女性の割合は、一九九二年の五二・三％から二〇一四年の五〇・三％へと下落した[93]。一九九五年以降では、世界規模での就労に関する男女格差は〇・六％しか縮まっていない（賃金のある職業に就く割合は、女性の四六％に対して男性の七二％）。パートタイム労働者に占める女性の割合は五七％だ。女性は男性よりも失業の脅威にさらされている。実際に、世界の女性人口の六・四％が失業中である一方、男性の場合では五・五％である[94]。

従来型の家族モデルは変化しつつある。たとえば、離婚経験者同士の再婚家庭、外国人との家庭、一人親の家庭、同性愛者の家庭、民事連帯契約、同棲、養子縁組など、さまざまな家族形態が登場した。

ＯＥＣＤ諸国の一〇〇〇人当たりの婚姻率は国によって大きなばらつきがあるが、一九七〇年の八・一人から二〇〇九年には五人になった。同時期に離婚率は二倍になり、一〇〇〇人当たり二・四人に達した。[95] 平均すると、離婚するカップルの六五％以上は子供をもつ。こうしたことからも、同棲の形態を選択する者たちが増えている。同棲では、一緒に過ごす時間が一般の家庭より短い場合が多い。家庭を築くより自分の自由を維持したいのだろう。

離婚はとくに貧しい女性に大きな経済的ダメージを与える。母子家庭の母親の収入は伸び悩む傾向にある。アメリカでは二〇一二年から二〇一三年までの期間、母子家庭の母親の実質収入は、他の世帯よりも一ポイント多く減少した。アメリカでシングルマザーの数を比較すると、貧困層下位一〇％は富裕層上位一〇％の二〇倍も多い。ちなみに、この数値は、イタリアが八倍、フランスが一一倍である。一人親の家庭で育つ子供は、学校を退学するリスクが高く、自身も一人親になる傾向があり、就職が難しく、かつ離職しやすい。[96]

カルトと原理主義者の台頭

家族の絆が弱くなり、カルト集団など、新たな帰属形態が発展している。二〇〇三年にマーガレット・シンガー（アメリカでカルト集団の逸脱行為を糾弾する重要人物の一人）

は、アメリカにはおよそ五〇〇〇のカルト集団が存在し、二五〇万人のメンバーがいると推定した。

一方、「セクト的逸脱行為関係省庁警戒対策本部（MIVILUDES）」によると、フランスには五〇〇のカルト集団が存在し、五〇万人のメンバーがいるという（これらのメンバーのうち、六万人から八万人の子供たちがカルト的な環境で育っている）。二〇一三年のMIVILUDESの報告書[97]によると、カルト集団は企業活動に関与することによってメンバーを増やしているという。企業の国際化と近代化が進む今日、カルト集団は、セミナー、職業訓練、人材開発などを含む「社員教育パッケージ・プラン」を提供している[98]。

また、カルト集団の被害に遭いやすいのは、生活に不安を感じる高齢者だという。たとえば、MIVILUDESの二〇一二年の報告（現時点で入手可能な最新情報）によると、二〇一〇年から二〇一一年にかけて、カルト集団に対する訴訟件数は二五％増加したという。

カルト集団は、人材開発を行なう一二〇〇から一五〇〇の職業訓練組織に関与しているとみられる。

原理主義も台頭している。ピュー研究所の調査によると、アフガニスタン（アンケートに答えた九九％）、イラク（九一％）、パキスタン（八四％）では、イスラーム教徒たちは国の法律としてシャリーア〔イスラーム法〕の制定を望んでいるという。

ピュー研究所が二〇一四年に発表した別の調査によると、アメリカの成人人口の三一％（そして成人のプロテスタント教徒の三九％）は聖書を文字通りに解釈すべきだと考えるという。アメリカの成人人口の六〇％は、聖典（聖書やコーランなど）は神の言葉だと思っている。

ヒンドゥー教徒も同様だ。インドでは二〇一四年五月（ヒンドゥー至上主義者ナレンドラ・モディが首相に就任した際の総選挙時）から二〇一五年八月までの期間、イスラーム教徒やキリスト教徒をターゲットにする宗教をめぐる襲撃が六〇〇件以上もあった。

勢力を伸ばすカルト集団や犯罪組織などの非国家組織

二〇〇九年の犯罪組織ネットワークの取引高（麻薬、武器、人身、模造品の不正取引）は、推定八七〇〇億ドルだ。これは世界のＧＤＰの一・五％に相当する。[99] 二〇〇九年以降、この取引高が増加したのは間違いない。

国連薬物・犯罪事務所（ＵＮＯＤＣ）の推定によると、オピエート（ヘロインはその一種）の常習者は一七〇〇万人だ。アフガニスタンでの栽培の不作や当局の押収が相次いでも、麻薬の供給量は安定的に推移している。それらの中でもコカインとアンフェタミンの流通量が増えている（二〇〇九年から二〇一四年までの間に当局の押収量は倍増した）。五大犯罪組織ネットワークの年間取引高だけで二八〇〇億ドルに達する。[100]ＧＤＰに占める麻薬取引の割合は、メキシコが三％、コロンビアが一％と推定されている。麻薬取引は一部の組織が牛耳っているため、これらの組織は巨大な力をもつ。たとえば、麻薬密売組織シナロアの最高幹部ホアキン・グスマン（別名「エル・チャポ」）は、雑誌『フォーブス』が発表した二〇一三年の「世界で最も影響力のある人物」ランキングで六七位だった。

同様に、テロ集団は経済力を手に入れるようになった。イスラーム国の年間取引高は一〇億ドルと推定され、イスラーム国の占領地域には原油など、二兆二〇〇〇億ドル相当の資産があると思われる。[101]

地政学的戦略の混乱と暴力の再燃

先ほど述べたポジティブな傾向にかかわらず、近年、暴力は日常生活においても地政学的な現実においても、世界中で横行している。言い争う、戦う、殺し合う、さらには殺戮するための大義は必要ないかのようだ。人々は忍耐力を失ったのだろうか。今後、われわれは言い訳さえあれば、隣人といがみ合うことになるのか。

二〇一一年以降、内戦、戦争、テロ事件の発生件数は再び増加し、犠牲者の数は増えていると思われる。南スーダンの部族間抗争、ナイジェリアのボコ・ハラム、中央アフリカにおけるキリスト教徒とイスラーム教徒の対立、ロシアのクリミア侵攻、イエメンの内戦、フランスをはじめとする多くの国で起きたテロ事件など、世界中で新たな戦いが起きている。

とくに二〇〇一年以降の国家崩壊をきっかけとするアフガニスタンにおける暴力の横行やシリアとイラクでの内戦により、戦争に関連する死者の数は増加した。数十万人の民間人と軍人が命を落とし、数百万人の人々が避難を余儀なくされ、国際的な介入が増えた。

近年、分離独立運動やナショナリズムなどの政治運動に代わり、宗教に関する紛争やテロ事件が急増している。宗教原理主義者によるテロ事件は、二〇〇〇年の二五〇件から二〇一二年の一七五〇件へと増加している[102]。アメリカ国家情報会議の未来予測によると、二〇三〇年ごろまでに、キリスト教やヒンドゥー教の原理主義者たちが関与する新たなテロが起きる恐れがあるという[103]。

二〇一六年六月の時点で、二八ヵ国が宗教的な背景をもつ過激派の暴力の標的になり、四九五七人が死亡した（一二五六人の民間人、八八七人の治安維持関係者、二三四五人の過激派メンバーなど）。また、二七九人が人質になった。これらの死亡事件の五一％は、MENA地域（中東と北アフリカ）で発生した。アフリカのサブサハラ地域（とくに、カメルーン、ナイジェリア、ソマリア）でも、過激派による暴力が横行している（これらの死亡事件の三〇％[104]）。

宗教的な原理主義に関係するテロ事件は、そのような事件と無縁だった国でも起きている。たとえば、バングラディシュ（二〇一六年七月のダッカ・レストラン襲撃人質テロ事件では、無宗教のブロガーたちが殺害された）、ミャンマー（仏教徒がロヒンギャのイスラーム系少数民族を弾圧）、マレーシア（二〇一六年六月にイスラーム国による初の襲撃事件）、カメルーン（これまで仲のよかったイスラーム教徒とキリスト教徒がいがみ合うようになった）。アフガニスタン、パキスタン、イラク、シリアでは、ご存じのように原理主義者たちによる虐殺が起きている。

まとめると、二〇一一年から二〇一五年までの間に、戦争やテロによる年間の犠牲者の数は七倍になった。

近年、殺人事件もラテンアメリカ諸国で増加している。とくに犯罪組織がらみの殺人事件が目立つ。

メキシコでは三年前から殺人事件の件数が再び増加しており、二〇一五年は九％上昇した。デジャルダン・グループ〔カナダ最大の協同組織金融機関〕の報告書によると、二〇一四年に何らかの犯罪の犠牲になったメキシコ人の割合は五人に一人だという。この割合は、アフガニスタン、スーダン、イラクにおける戦争犠牲者のものより高い。メキシコでは二〇〇六年から二〇一一年の間に、暴力団による殺人事件の発生件数は三倍になった。それらの事件は、ほとんどが麻薬取引がらみだ。

殺人事件の発生件数は、ホンジュラス、サルヴァドール〔ブラジル北東部の港湾都市〕、グアテマラ、ベリーズなどでは、さらに多い。

アメリカの軍事介入によって外国人に対してなされる暴力だけでなく、アメリカ本土での暴力も再び増加に転じている。アメリカでは、二〇一五年の人口一〇万人当たりの殺人事件の発生率は五・二件だ（ＯＥＣＤ諸国の平均四・一件を上回っている）。『銃暴力の記録』によると、アメリカの銃による死者の数は二〇〇四年では一万人未満だったが、二〇一五年には一万三四七二人（自殺者の数は含まない）、そして怪我人は二万七〇一五人になったという。

『ポリティファクト』によると、アメリカにおける一九六八年から二〇一五年までの銃による死者の数（一五〇万人）は、二つの世界大戦を含めたアメリカ独立運動以降にアメリカがかかわった数々の紛争の犠牲者の数（一四〇万人）よりも多いという。

シカゴの警察当局によると、二〇一六年第一四半期におけるシカゴ市内での銃による死者の数は、昨年同時期の五〇％増だという。同様の傾向は、ダラス、ジャクソンビル、ラスベガス（一〇〇％増）、ロサンゼルス、メンフィスなど、二〇のアメリカの都市でも確認できる[105]。

そうした混乱の原因は、ヘロインの濫用と暴力団が勢力を取り戻したことにある。国連薬物・犯罪事務所（ＵＮＯＤＣ）によると、アメリカで起きる殺人事件の二五～三〇％は組織的な犯罪によるものだという。この割合はアジアでは五～一〇％であり、ヨーロッパでは五％未満だ。アメリカ国内に出回る銃の数は、アメリカ人口三億一七〇〇万人に対して三億五七〇〇万丁である。

さらには、世界中の一部の若者たちの間では、根源的かつ斬新な思潮が登場した。それは死というタブーを超越する思考である。正当防衛でなく、殺したいが死にたくないと考える人たちは、これまでにもいた。だが今日、人生の意義を見つけられない一部の若者たちを自爆テロに走らせるイデオロギーが増えたのである。死生観は社会的な価値観の核心であるだけに、これはきわめて重要な変化だ。

こうした傾向に関する説明はたくさんある。最も説得力のある説明の一つは、人間が都会の定住型管理社会で暮らし続けることの難しさだ。それはあたかも金魚鉢の中で慣習や規則にがんじがらめになって生活するようなものだ。このような社会では、マネーがすべてであり、裏切りは当たり前、欲求不満とむなしさが野蛮な政治を後押しし、情報開示によって競争はさらに激化し、妬みと欲望が生じる。そして全員が共有できる道徳は崩壊する。

そうした環境では、引いた弓から矢がついに放たれるがごとく、鬱積した怒りが暴力として爆発する。人々は悪徳をもてあそぶ必要があるかのように悪事を働く。それは自分が生きていることを自身に証明するためであり、また自己嫌悪から逃れるためだ。

第二章
解説

第一章で述べたように、グローバリゼーションが幸福をもたらすという見通しは疑わしい。

失敗と成功を「歴史」という天秤にかければ、前者のほうが後者よりもはるかに重いことは否定できない。そして悪の勢力は、善よりはるかに強力だと思われる。もう少し正確にいえば、大きな成功を収めたとしても、失敗は成功に重くのしかかり、人類の大半は耐え難い現実に直面し、未来は邪悪な活力を得る。手をこまねいていれば、われわれは、経済、社会、エコロジー、政治、軍事などの面で、最悪の事態を迎える。

ところが、経済、社会、政治の混乱にいかなる説明が施されても、人々は一致団結しない。だからこそ、よりよい未来を築くには、現在の原因を究明することが重要なのだ。

では、諸悪の根源は何か。

マネーが社会を支配していることだと考える者たちがいる。彼らはマネーこそが欲求不満と暴力を生み出しているとみなす。あるいは、諸悪の根源は精神性の喪失にあるとみなす者たちがいる。逆に、原理主義者、不寛容な精神、宗教戦争の予期せぬ復活が原因だと唱える者たちがいる。また、天然資源の支配や、気候が穏やかで最も裕福な地域の制覇をめぐる文明間の衝突の始まりだと説明する者たちもいる。さらには、西洋文明だけが生き残ると予想する者たちがいる。彼らは西洋文明の支配が他の地域で閉ざされて暮らす人々の嫉妬を生み出し、これが暴力を誘発させると説く。

説得力があるとしても、これらの説明では世界の現状を読み解くことはできない。ましてや世界を動態的に捉えることはできない。

一つめに、私はマネー自体が暴力の要因だとは思わない。それどころか、マネー、つまりおよそ三〇〇〇年前に発明された貨幣は、富の交換に関する危険な話し合いをまとめる手段、つまり、暴力を減らすための手段だったのだ。

次に、清貧や無欲を称賛すれば調和のある世界になるという考えに、私は納得しない。歴史を振り返ればわかるように、そのような社会では、世俗あるいは宗教の時の権力者に利益をもたらすために、あきらめることを称賛するようになる。

そして宗教戦争はまだ始まっていない。今日ほど、すべての宗教の指導者たち、そしてほとんどすべての教会が、自分たちと異なる宗教に対して寛容の精神をもつべきだと訴える時代はない。

われわれの社会に精神性が喪失しているからでもない。逆に今日ほど、さまざまな超越性が熱心に探求されている時代はない。今日ほど、この世や生命の意義が探求されている時代もない。

また、文明の衝突が起きたのでもない。これは団結したイスラーム世界が西洋文明と激しく闘い始めたという想定だろう。だがそれは違う。なぜなら、そのような宣戦布告はなく、イスラーム世界はきわめて多様であり、団結していないからだ。

そして、われわれの暮らしをマルクス主義や自由主義の理論によって説明することはできない。ブルジョワ階級と、一致団結した労働者階級との地球規模の階級闘争は起きていないし、完全競争市場という自由で理性的かつ利己的な選択も存在しない。

したがって、それらの大雑把な説明は意味をなさないのである。数値化できる現在の傾向（世界の経済成長の減速）に対してさえ、全員が納得できる説明を施すことができない。世界の経済成長の減速の原因は技術進歩の衰えによるものだと解説する者たちがいるが、この主張はまったく事実に反していると思われる。

また、投資家がリスクをとるには均衡実質金利が低すぎる（マイナスでさえある）からだと説明する者たちがいる。事実、均衡実質金利は、一九八四年のアメリカではおよそ八%だったが、今日のアメリカではゼロであり、ヨーロッパではマイナスだ。ところが、低金利になった理由やその影響について、専門家の見解は一致しない（低金利になったのは、中国がアメリカ国債を大量に購入したからなのか。それとも、各国の中央銀行が市場介入したからなのか。経済および政治の見通しがきわめて悪いのだから、金利は逆にきわめて高くなるはずなのに、なぜ低金利なのか）。

複雑かつ複合的で相互依存している世界では、たった一つの理論によって現在の矛盾に満ちた現実を明快に説明することはできないのではないか。物理学でさえ未解決の問題があり、人智のおよばないことがあるのだ。

そうはいっても、私自身はあきらめていない。私は他の人々と同様に、世界史の大きな流れを司る一本の導きの糸が存在すると考える。他の著者たちと同様に、私が著書を執筆しながら紡いできた一本の糸からは、現状はかつてないほど混乱していることがわかる。そしてさらなる混乱が予想される。

私の感覚では、古今東西、社会秩序は生者が死に与える意義に基づいてきたといえる。どの社会でも太古から死を耐え難くないものにしようとしてきたのである。とくに権力者たちのために儀式を行ない、生贄を捧げ、そのための財源を確保してきた。

少なくとも一二世紀以降、世界の覇者になった西洋では、人々は死とのそうした関係を、死後の世界の意義でなく、希少な財の管理において扱うようになった。その中でもますます希少になるのが時間だ。時間は、各自が一日、一年、そして現世の管理において、最大限の自由を探求するという形で扱われるようになった。なぜなら、自由になればなるほど、時間をはじめとする希少な財をもっと手に入れようとするからだ。

そのような自由な社会では、こうした希少性の管理は二つのメカニズムが担う。すなわち、私的財であれば市場であり、公共財であれば民主主義（あるいは少なくとも安定的な法規範）である。これら二つのメカニズムは、物々交換、贈り物のやり取り、専制的な割り当て、独裁などに取って代わった。

自由が希少性と死によって束縛される社会では、自由という幻想は市場と民主主義によって維持される。理論と実践によって確立される市場と民主主義は、必要な財の量を増加させる条件、つまり、あらゆる希少性を減らす条件を生み出すための最良の手順である。開かれた国家における、市場と法の支配、言い換えると資本主義と民主主義との弁証法により、われわれの暮らしの現在と未来の全体像は次のように説明できる。

閉ざされた領土では、市場は中産階級を育成しながら民主主義を強化し、民主主義は法の支配を強固にしながら市場を強化する。市場と民主主義は互いに強化し合いながら新たな富の創造を促進する。

ところが、われわれの暮らす世界はすでに閉じておらず、まったく別の力学が働いているのだ。この力学こそが従来の市場と民主主義の蜜月関係を破壊し、われわれの世界を逸脱させたのである。社会では、自由は不安定な生活と裏切りを生み出し、公益は消え失せた。そうした社会の力学により、希少性と死に対するこれまでにない関係が模索されるようになった。すなわち、宗教への回帰である。

したがって、この弁証法を起点にすれば、先ほど述べた現状を解明でき、そこから未来を予測できるだろう。

私は六つの命題における分析を統合する。

I.現在までのところ、政治と経済の自由に基づく社会組織は、世界で最も優れた制度だったことが明らかになった

a. 自由の希求は、アイデア、芸術、財の利用度を高めるために、つまり、人類が希少性の限界を押し広げて「自分自身になる」手段を見出すために、創造し、異議を唱え、試行錯誤し、挑戦し、再検討することを促した。自由を熱望する人々は死をも辞さなかった。自

由の希求はイノベーションを鼓舞した。それは時間をつくる手段を見出すためであり、とくに医学と娯楽の発展によって、死に対抗する手段を開発するためだった。イノベーションの先駆者には、次のイノベーションが登場するまでの間、莫大な利益が保証された。

b. 自由の希求は、すべての分野において全員に、市場（物々交換や専制的な分配の代役）と民主主義の普及（あるいは法の支配の強化）を後押しした。

c. 自由の希求により、エコロジー、経済、文化、衛生、政治など、あらゆる面における相互依存がさらに強まり、情報開示が進んだ。こうした社会では、他者の失敗は誰の利益にもならない。

Ⅱ. しかしながら今日、このシステムは機能不全であり、世界は奈落の底へ突き落とされる寸前である

a. 経済と政治の自由により、誰もが自己の選択を変えることができるようになり、生活が不安定になり、利己主義が激化して裏切りが横行し、人々は強欲になって刹那的に生きるようになった。とくに、現世代は債務を膨張させ、気候変動や環境問題を無視し、インフラの維持を怠り、教育をおろそかにする。このようにして現世代は、将来世代にさら

なる負担を押しつけて暮らしている。

b. 市場の普及は民主主義よりも急速だった。というのは、初期段階では、政治的自由が乏しくても経済的自由を満足させることは、その逆よりも容易だからだ。

c. 次第にグローバル化した市場は、あらゆる国や分野に浸透し、国の管理から逃れ、無償で行なわれる交換と公的サービスの領域を、安全保障という共同体の防衛だけに追いやる。

d. 反対に、法の支配は民主的なものであるかどうかにかかわらず、本質的に国にとどまる。なぜなら、統治権を国際的に統合することは困難だからだ。ヨーロッパの例からは、単一市場でありながらも複数の国に共通する法制度を設立することが、いかに難しいかがわかる。

e. ようするに、ヒトは他の財と同じく商品と化し、消費されるモノとして扱われるようになった。

Ⅲ.今日、市場はグローバル化され、法の支配のない状態にある

a. 市場は、人権を尊重させる法の支配や、再分配を行なったり当事者の情報不足を補

ったりする国という存在がない中で、グローバル化したのである。

b. 経済学の一般理論に照らし合わせると、そのような市場は、不完全雇用、資産格差、低成長、一次産品の価格低迷、慢性的な高失業率を引き起こすだけである。それはわれわれが目の当たりにしてきたことであり、先ほど述べたことだ。

c. 法の支配のない市場では、消費者と株主が労働者と選挙民に対して勝利する。互いの権利が相互に行使されることはない。社会的権利や人権は尊重されなくなる。

d. 法の支配のない市場では、イノベーションの先駆者には、コピーが解禁になるか新たなイノベーションが登場するまでの間、莫大な富がもたらされる。こうした傾向は社会的不平等を拡大し、人々の不満を高め、憤懣に満ちた社会構造へと導く。

Ⅳ. 国内に閉じこもる民主主義はますます空虚になり、民主主義が現実に対しておよぼす影響力は減る一方である

a. 民主主義が企業におよぼす影響力は減る一方であり、企業は、国の統治権や株主の国籍に配慮する必要がなくなった。

b. 各国の民主主義は生き残るために、互いに競争しなければならなくなった。民主主

義は、企業を誘致するための（規制、経済、社会、租税など）法の支配に関するダンピング競争に巻き込まれた。その結果、民主主義は、公的サービスを賄い、法を遵守させ、現実に働きかけるための財源を失った。

c. 市場と同様に民主主義は短期的なことだけに専心し、公的債務を膨張させ、気候変動や環境問題を無視するようになった。

d. 民主主義は人々の希望でも重要課題でもなくなり、存在意義を失った。自分たちの運命を改善するために民主主義を頼りにする者がいなくなったのだ。次世代は現世代よりもひどい暮らしを送ることが明らかになったのである。

V. 袋小路に陥り、怒りが爆発する

a. 未来に働きかけることはできない、幼少期からすべては決まっていると観念する者たちがいる。ほとんどの人々が自己実現のための手段をもたなくなった。彼らはあきらめるか怒るしかない。

b. 自己の都合から故郷を離れる者たちがいる。人口が急増してエコロジー危機が叫ばれるとき、ヒトの移動をはじめとする自由が求められ、移民が急増する。最貧民層と同様

に超富裕層もノマドと化す。

c. そこで長期的な解決策として安定回帰を模索する者たちがいる。彼らはその答えを、保護主義、ナショナリズム、エコロジー至上主義、原理主義などに見出そうとする。さらに似たような文脈において、この世の暮らしに意味などなく、真の自由はあの世にあると考える者たちも現われる。

d. 局所的な危機は無数にあり、これらの危機が全体の危機を引き起こすかもしれない。政治や経済の危機が共鳴するのだ。こうして社会に蔓延する憤懣が激怒に変わる。

e. 前代未聞の地球規模の戦争が勃発する恐れがある。私は社会に蔓延する激怒から生じるこの戦争を「大惨事」と呼ぶ。

Ⅵ.自由を断念することなく「大惨事」を回避するための二つの解決策

a. 一つめは、市場が解決してくれると期待し続けることだ。市場は、イノベーションをカスタマイズされた財やサービスの開発に導く。市場のおかげで、われわれは希少性や死から逃れられる。誰もが時間から解放されるのだ。とくに、医療や娯楽はわれわれを死から遠ざけてくれる。こうした傾向は、人間が人工物になるまで続く。この人工物はいずれ無意味なモノになり、人間がつくる人工知能によって破壊される。不死が現実味を帯び、その実現に期待が高まる。よって、社会的な混乱があっても、多くの者たちはそうした混乱を一時的なものとして無視する。

b. 二つめは、人類の存在意義を維持することである。それは未来の不死テクノロジーに頼ることではない。世界は、エコロジー、経済、公衆衛生、政治など、あらゆる側面において相互依存を強めている。よって、他者の失敗で利益を得る者は誰もいないと悟ることが重要である。人類のサバイバルのカギとなるのは利他主義なのだ。

まず、現世代と将来世代の政治および経済の権利を保証する民主的かつ地球規模の法の支配を早急に確立すべきである。そのとき、自由を束縛する物質的でなく倫理的な拘束として唯一機能するのが利他主義であることを忘れてはならない。世の中に利他主義を根づかせるには、全員が高貴に暮らさなければならない。つまり、自己の利益のために最大限に利他的に振る舞うのだ。このようにすれば全員の利益のために自己実現を図ることができる。

ポジティブな社会の構築を目指す多くの人々が、この解決策に則って活動している。今日、よりよい世界を築こうとする希望の輝きがある。彼らにそのための時間を与えようではないか。

われわれの世界の本質、原動力、危機などを理論的に叙述すれば、現状を詳述するだけでなく、予想される出来事を描き出せるはずだ。今後一五年間に起こりうるそれらの出来事は、きわめて危険な連鎖を引き起こす恐れがあるが、多くの望みをもたらすかもしれない。そして未来予測の大まかな傾向を分析および導き出すための理解の助けが得られるはずだ。また、最悪の事態を回避し、よりよい暮らしのために、個人として、そして共同体として、いかに行動すべきかを把握できるようになるのではないか。

第三章と第四章では、二〇三〇年の世界を描き出し、惨事を避け、よりよい世界を築くために今からなすべきことを記す。

第三章

九九％が激怒する

世界はよくなるのか。あるいは逆に悪くなるのか。先ほど述べた相矛盾するデータの洪水から導き出せる結論とは何か。この概念の枠組みから少なくとも一五年先の世界の行方を予測できないものだろうか。われわれは自分たちを待ち受けることを想像できるのか。そして将来も自己のライフスタイルを選択し、自身自身になるという望みをもち続けられるのか。善が拡大するのをじっと待てばよいのか。あるいは予想される最悪の事態に対して怒りのこぶしを突き上げるべきなのか。われわれは少なくとも三世紀にわたって、マネーがもたらす自由と幸せを、個人的、利己的に追求するというイデオロギーを信奉してきた。こうしたわれわれの近代性に再考を促すべきなのだろうか。

今後の一五年間で、人口学、テクノロジー、イデオロギーの大変動が生じることは間違いないだろう。それらの大変動を考慮すれば、自由、市場、そしてテクノロジーの威力だけで、平和で豊かな暮らしと社会的な調和が回復するのかもしれない。

逆に、先ほど述べた理論的な叙述から予見されるように、非常にネガティブな傾向も進行中だ。二〇三〇年までに、自己の運命を自身で選択できない、つまり自己実現できないような地球規模の地政学的な危機が発生する恐れもある。そうなれば社会に蔓延する憤懣は激怒へと変わる。激怒が支配する社会では、すべては不可逆的に破壊されるだろう。

われわれは、よりよい世界を築くための行動が発する微弱なシグナルを感知しなければならないのだ。

世界をよりよい方向に向かわせる

今から二〇三〇年までに、経済成長と社会調和の源泉が変化するのはほぼ間違いない

経済成長をもたらす人口爆発

人口増加は、労働者と消費者の数を増やすため、基本的には経済成長の要因である。二

〇三〇年、世界人口は、今日よりも一〇億人増えて八三億人になる。

アフリカ人は現在の一〇億人から一六億人になる。アフリカの人口増加を牽引するのはナイジェリアだ。インドの人口は中国を追い抜く。ヨーロッパ諸国（フランスとアイルランドは除く）、ロシア、韓国、日本の人口は、大規模な移民流入がない限り、減少するだろう。キリスト教徒の人口は世界人口の三〇・二％に相当する二五億人であり、同様に、イスラーム教徒は二六・四％の二一億八〇〇〇万人、ヒンドゥー教徒は一四・九％の一二億人、仏教徒は六・一五％の四億九〇〇〇万人になると予想される。[106]

世界の平均寿命は、二〇一五年の七一・四歳から二〇三〇年から二〇三五年にかけて七四・五歳になる。[107・108]

世界中の人々の平均寿命は、横並びになるだろう。

二〇三〇年、人類の三分の二は都市部で暮らす。一〇〇〇万人以上の人口をもつ巨大都市の数は四一以上になるだろう。東京は世界最大の都市であり続ける（人口三七〇〇万人）。都市化したからこそ農業の生産性は向上し、農業の生産性が向上したからこそ都市化したのだ。つまり、都市化は経済成長の要因でもある。

二〇三〇年の生産年齢人口は三五億人であり、二〇一六年よりも九億人増える見込みだ（そのうち、三億人はアフリカ・サブサハラ地域、二億三〇〇〇万人はアジア地域からだ）。

労働市場における女性の数は、一〇億人以上になるだろう。

逆に、ヨーロッパにおける生産年齢人口は減る。アメリカ、ヨーロッパ、日本、ロシアでは、有能な人材が大量に不足する。

したがって、政治や気候変動などの理由とは別に、人口学的な観点から移民が必要かつ不可欠になる。移民も経済成長にプラスの影響をもたらす。二〇二五年、途上国から高所得の国へ移民する労働者の数が三%増えると、世界のGDPは〇・六%増加するという。[109]

中産階級の増加

中産階級が急増する。二〇一六年に一八億人の中産階級は、二〇三〇年には四九億人になるだろう。彼らのうち、六六%はアジア人だ。[110]二〇三〇年、インドは中産階級の急増によって世界最大の消費市場になる。アフリカの中産階級は、二〇一六年の三億七五〇〇万人から二〇三〇年には五億人以上になる。[111]

中産階級の増加により、所有権、人権、労働者の権利、民主主義の尊重など、法の安定した支配が強く求められる。中産階級の増加は、地政学上、きわめて大きな影響をもたらす。

イノベーションの大波

一九世紀末を別とすれば、今後の一五年間、つまり、二〇一六年から二〇三〇年までの間に、人類史上稀にみる大型のテクノロジー・イノベーションが続出し、われわれの暮らし、労働環境、学習方法、介護、思考、信条は激変する。それらのイノベーションにより、希少性という問題は大幅に改善されるだろう。

まず、すでに実現化しているイノベーションの一部が、企業、労働者、消費者、一般市民の日常生活にとってきわめて重要になる。それらは、文化、生活慣習、イデオロギー、政治に影響をおよぼす。

コンピュータの性能向上によって、ビッグデータの威力が増す（二〇一六年以降、ムーアの法則が働かなくなったとしても、である。たとえば、インテル社の創業者ゴードン・ムーアは、半導体の性能は一八ヵ月ごとに倍になると唱えたが、インテル社によると、今後、それは三〇ヵ月になるという）[112]。

二〇二五年以降、コンピュータは一秒間に 2.88×10^{17} 回の計算を実行する。ちなみに、人間の脳は同じ時間内に 10×10^{17} 回の計算を行なえるので、その差はわずか三・五倍でしかない。新たな道具（機械学習、深層学習）により、予測モデルはより効率的かつ詳細になり、知識および医療分野は次第に自動化される。人間は機械と会話するようになる。二〇三〇年、一五〇〇億個のモノが互いに、そして数十億人の人々とインターネットに接続される。

モノのインターネット（ＩｏＴ）も、ビッグデータの進化、識別システム（ＲＦＩＤ、表面弾性波、光チップ）、センサー（ナノテクノロジー）の恩恵を被る。二〇二五年、これらは四兆ドルから一一兆ドルの市場規模になると見込まれる。これは世界のＧＤＰの七・五％から二一％に相当する。[113]

３Ｄプリンターが産業界ならびに一般家庭に浸透するだろう。３Ｄプリンターの世界市場は、二〇一三年の三〇億ドルから二〇二五年の一五二億ドルの規模にまで達する見込みだ。[114]

産業界では、３Ｄプリンターの導入により、一部の製造現場は先進国に回帰し、一般家庭ではカスタマイズしたモノがつくられるようになる。

たとえば、日曜大工に必要な部品や道具、衣服、食器、家具、楽器、工芸品、さまざまな人工臓器などだ。ヨーロッパの宇宙旅行社は、二〇三〇年に月面で３Ｄプリンターを使って月の表土から宇宙基地をつくろうとさえ計画している（月面には隕石の塵が大量にある）。

拡張現実や仮想現実の道具を利用すれば、ホログラフィー対応のスマートフォンで通話中の相手を3Dで眺めることができるようになる。

今後一五年間に進化する視線追跡（アイフルエンス社）と顔追跡のテクノロジーにより、現実と仮想の相互作用が促される。スクリーンを利用せずに拡大した現実に、われわれのデジタル・データを投影することが可能になるのだ。建設現場や戦場をバーチャルに歩き回ることができるようになる。現実と仮想が行動および思考において混ざり合う。

ブロックチェーン[115]は、誰もがプラットフォームなしで安全に情報交換できる画期的な技術である。この技術により、たとえばウーバーやエアビーアンドビーなどの仲介業者は不要になるかもしれない。いくつか例を紹介すると、イーサリアム〔ビットコインの次に時価総額が大きい仮想通貨〕により、仲介役なしで安全に契約を締結できるようになる。

コロニーは、個人の貢献の度合いに応じて自動的に報酬額が決まるシステムをつくって世界中の才能をつなぎ合わせようとしている。

オーガは、市況を占うために「みんなの意見」を利用してはどうかと提案する。電子マネーのビットコインはブロックチェーンの技術を利用してできた最初の例だ。ビットコインがもたらす影響はきわめて大きいと思われる。これについては後ほど述べる。

二〇三〇年、企業は、人工知能（AI：人間と同様の知能を再現することを狙う先端技術の総称）[116]を使って自律的な情報システムを構築し、個人は、学習、会話、知覚、作曲、感情の刺激のために人工知能ロボットを利用するようになる。

このロボットの登場により、ヒトと人工物との違い、すなわち、「死すべき存在」と「不死の存在」との差は縮まる。

二〇三〇年、セマンティック・ウェブにより、検索エンジンと自然言語で会話できるようになる。したがって、助言を与える必要のある職業（医師、教師、弁護士など）に就く者にとって、セマンティック・ウェブはきわめて便利だ。

人工知能とセマンティック・ウェブを組み合わせると、自動翻訳機になる。自動翻訳機があれば、世界中の専門家の見解を知ることができるようになる。そうなれば国境はいずれ廃止されるだろう。

二〇三〇年、ロボット工学は、さまざまなテクノロジー（ナノテクノロジー、人工知能、エネルギー貯蔵）の進歩の恩恵を受ける。ロボット工学の認知、音声合成、直立歩行、手先の器用さ（モノを把握する能力）は、大幅に改良される。ロボット工学も生命を不死へと導く人間の人工物化を加速させる。

二〇三〇年、ナノテクノロジーはナノメートル単位の新たな素材を生み出す。軽量化および耐久性を高めるためにカーボンナノチューブを既存の素材に加えると、その特性は一変する（外装材、抗菌剤、自己修復機能をもつ繊維、汚染浄化システム）。ナノテクノロジーの炭素繊維を用いれば、粉塵の侵入をほぼ防げる作業服が誕生する。

二〇三〇年、ゲノミクス[117]、遺伝子治療技術、バイオテクノロジーは、世界のＧＤＰの二・七％を占める。[118]細胞治療により、幹細胞を用いて生体組織や臓器を再生できるようになる。[119]大量のクローン動物がつくられる。マンモスなどの絶滅動物やタスマニアタイガーなどの絶滅危惧動物がクローン技術によってよみがえるといったことが当たり前になる。クローン人間に関する研究が急速に進み、これも不死の追求につながる。

バイオテクノロジーによっても、エネルギー、素材、ゴミ処理などの新たな形態が誕生し、３Ｄバイオプリンターを使って人体パーツが製造されるようになる。

神経科学は飛躍的な発展を遂げる。とくに、身体の肉体的作用からも影響を受ける学習メカニズム、記憶、集中力、瞑想などに関する理解が深まる。認知、意識、感情に関する神経メカニズムの解明が進む。

脳細胞のさまざまな種類が明らかになり、脳の病気（アルツハイマー型認知症や統合失調症など）の発症において、それらの細胞が担う役割が明らかになる。さまざまなスケールで脳神経回路の詳細図ができあがる。

神経細胞の活動をモニタリングする技術が開発される。脳の動きと、振る舞い、感情、思考、自意識との関係が確立される。神経科学においても、自意識およびそれをクローンに移す可能性に関する詳細な知識が得られるため、不死への期待が高まるだろう。

二〇三〇年、多くの分野においてポジティブな変化がある

健康：死との関係は、われわれの社会基盤の本質であり続ける。死を遠ざけることが自由の第一願望であり続けるのだ。健康でありたいという願いは、ますますカスタマイズされ、際限がなくなり、死を断固として拒否するようになる。もちろん、それはそうした手段をもつ者たちにとっての話だ。

遠隔医療が発達する。患者はインターネットに接続された薬箱によって忘れずに服薬できる。患者が処方に従わない場合は、この薬箱が医師と保険会社に通報する。

ナノテクノロジーによって異常は分子レベルで正確に検知できる。

超高感度センサーによってがんの早期治療が可能になる。

ｆＭＲＩや脳波図の技術進歩により、感情の仕組みが解明され、さらには人工的に感情を呼び起こすことができるようになる。

手術施設には、迅速かつ確実で低侵襲な手術を提供するために、数多くの手術用ロボッ

トが設置される。

ゲノム薬理学により、患者個人の遺伝的特性に合わせた薬物治療が実現する。

アルツハイマー型認知症は治る病気になりつつある。

教育：二〇三〇年、子供たちは、好奇心と批判的精神を養うためにバーチャル・リアリティ眼鏡によって仮想世界を体験する。

世界中の教師と生徒との完全な交流が教室の壁を越えて可能になる[120]。

ビデオゲームが知識習得にきわめて便利な情報機器になりうることが明らかになる。

脳の働きの解明が進み、注意力、集中力、記憶力、思考力、協力、独創力などを高める、あるいは修復するための臨床手段が見つかる。

労働：ロボットが自然言語を習得するため、人間でなければできないと思われていた労働までロボットが行なうようになる。

労働の苦痛は劇的に軽減される。たとえば、ロボットは石油化学業界ではコンテナ内部の目視点検を行ない、消防士に代わって現場の扉をこじ開けて消火活動にあたる。

軍隊では兵士がパワードスーツを着用するため戦死者が減る。介護ロボットや補強スーツにより、体の不自由な人たちの生活の質は向上する。

介護やネットワーク管理などの分野をはじめ、数多くの新たな職種が生まれる。ソフトウェア開発者、データサイエンティスト、ビッグデータの設計者、バイオテクノロジーやナノテクノロジーの技術者に対する需要は急増する。

その結果、従来の企業は破壊され、労働のあり方が変質する。すなわち、就労体系は柔軟になり、一人でいくつもの役割をこなし、委託になり、働く人たちはノマド化し、プロジェクトのメンバーは、小さなグループの集まりで構成されるようになる。

住宅：家全体が３Ｄプリンターでつくられる。ナノテクノロジーを用いた家の外装により、太陽光エネルギーが集められて利用される。よって、従来の太陽光発電パネルは時代遅れの産物になる。この外装により、「スマート・ビルディング」の大量生産が可能になり、それらの建物では、消費する以上のエネルギーが生み出される。[121]

新たなセメントが開発され、建物の耐用年数はこれまでの一〇倍になるため、住宅業界は激震に見舞われる。

水資源：海水淡水化設備により、飲料水の利用事情は大きく変化する。そのことはイスラエルの例からもわかる（イスラエルでは、飲料水の五五％は海水淡水化設備からのものであり、下水処理水の八六％は灌漑のために用いられている）。二〇三〇年の海水淡水化のコスト（二〇一六年のコストはすでに一九九〇年の三分の一にすぎない）は、さらに三分の一になるだろう。これはとくに中東地域やアフリカ・サブサハラ地域の沿岸部にきわめて大きなプラスの影響をもたらすだろう。

農業：センサーを大規模に導入することによって、作物の成長を確認して、水量、日当たり、温度などを調整できるようになる。

ゲノム研究の進歩によって作物や家畜の品種改良が可能になる。農畜産学がいわゆる「農学的利益」となる遺伝子を突き止めるため、作物栽培や家畜飼育の環境が最適化される。

さらに、農薬や化学肥料を使用しない有機農業が行なわれるようになり、農業全体に変革がもたらされる。今日、農地全体に占める有機農業の割合は一％にすぎないが、有機農業はまもなく世界人口を養うのに充分な収穫量を確保できるようになり、農民たちは満足できる収入を得られるようになる一方で、自然環境や現場で働く人たちの健康も守られる。[122]

エネルギー：エネルギーを節約することがおもなエネルギー源になるだろう。エネルギーの節約は、モノのインターネットやスマート・メーターによって管理される。

石炭、石油、天然ガス、原子力、水力は利用され続け、さらには太陽光や風力をはじめとする再生可能エネルギー源の開発が進む。

エネルギー効率の改善、太陽光パネルおよび蓄電池の価格の大幅下落により、分散型エネルギー生産が普及する。それまでエネルギーを利用できなかった農村部の人々がエネルギーを利用できるようになるのだ。

二〇三〇年、四〇ヵ国（とくに、ロシア、インド、中国、アメリカ）において原子力発電に一兆ドル以上の資金が投資される。老朽化した原子力発電所の廃炉が遅れることはないだろう。

自動車：今から二〇三〇年までに、キロワットアワー当たり一五〇ドルのバッテリーが開発されるため、ハイブリッド車が急速に普及する。リチウム・空気電池（この電池は二〇五〇年ごろまでに実用化が期待される。この電池のエネルギー密度は現在のリチウム電池の六倍）により、電気自動車の航続距離は従来の内燃機関車と同程度（一回の充電で六〇〇キロメートル以上）になるだろう。

一方、遺伝子を組み換えたウイルスを利用して陰極をより効率的に洗浄することで、バッテリーの駆動時間をさらに向上させることができる。

電気自動車の使用済みのバッテリーは、データセンターや一般家庭でのエネルギー供給のためにリサイクルされる。

最寄りの自動車ショールームでは、３Ｄ映像で確認しながらマイカーのモジュール生産が可能になる。

二〇三〇年に生産される自動車の大半は自動運転車だろう。自動運転車は、自動運転やＩｏＴ経由のインターネット接続のため、光電子工学のセンサーや人工知能が搭載される。自動車のオンデマンド利用や共有、個人間でのレンタカーが当たり前になる。したがって、自動車の生産台数は減り、自動車の稼働率は急増する。

航空：近い将来、航空機はハイブリッド型エンジンを搭載するようになる。離陸時に電気を利用するのだ。

ノースロップ・グラマン社は二つの胴体をもつ航空機を設計した。これが実用化されると、輸送力は飛躍的に高まる。

エアバス社はハイブリッド型エンジンを搭載する一〇〇席くらいの旅客機の開発を目指

すと同時に、交換部品を3Dプリンターで設計することを計画している。[123]

地上からのリモコン操作で飛行する、パイロットなしの航空機が登場する。航空機の素材、構造、操縦は、新たなテクノロジーによって一変するため、推進システムはほぼ完全に機体に組み込まれる。つまり、機体の構造は一新されるのだ。

娯楽：娯楽産業は仮想現実によって一変する。観客は、観る位置を変える、ズーム・インやズーム・アウト、さらにはカメラ・アングルから外に飛び出す、映画の場面をつくり変える、そしてストーリーを操作するようになる。

娯楽業界では、ビデオゲームの対戦や配信がますます盛んになる。娯楽はさらにパーソナライズされ、独創的になる。

スポーツ観戦も同様だ。スポーツ観戦も新たなテクノロジーの影響を受け、部分的に仮想現実化する。

芸術：テクノロジーは芸術にも新たな独創力の源を提供する。3Dプリンターによる仮想現実は、創造するための当たり前の道具になる。観客は作品の創造者であり、出演者になる。バレエ、オペラ、コンサートの区別がなくなる。

今から二〇三〇年までに、観客は作品と実際に対話できるようになる。[124] すでに「リープモーション」を利用すれば、音と手のさまざまな動きを結び付けることができ、誰もが音楽家や振付師になれる。[125] テタ・ファントムという情報技術を用いれば、芸術家の脳波を介して音や視覚的要素を生み出すことができる。

ダリ美術館の入館者は、スペインの画家ダリの超現実主義の世界を仮想体験できる。ジョイア・ストゥディオでは、ジョルジュ・デ・キリコの作品群の中に入り込める。バンクシー、ネック・フェイス、インベーダーなどの作品のように、現実を誇張したストリートアートが発展する。テート・モダン〔ロンドンにある近現代美術館〕では、人工知能が芸術作品と現在の出来事を結び付けてくれる。[126]

ロボット工学の威力を利用して創造力を発揮する芸術も登場する。たとえば、セルビアの芸術家ドラガン・イリッチは、巨大なロボットアームに支えられて、自分自身が筆になってカンバスの上を移動するパフォーマンスを演じた。

共有経済：二〇一六年から二〇三〇年にかけて、共有経済の五つの主要分野（金融、求人情報のオンライン提供、宿泊、自動車の共有、音楽や動画のストリーミング）の市場規模は三〇倍になる。[127] 大手コンサルティング会社のプライスウォーターハウスクーパースによると、そのなかでも、金融と求人情報のオンライン提供は、最も成長が期待されるという。今後、年平均成長率は、前者が六三%、後者が三七%と見込まれている。

このようにして需要の最も大きな分野の市場において、共有と利他主義が同盟関係を結ぶ。

リサイクル：今から二〇三〇年までに、分子あるいは原子レベルの新たな物質分離プロセスにより、物質の純度と本来の特性が維持できるようになる。[128]

たとえば、オルレアン大学の研究チームは、温度が摂氏五〇〇度で圧力が二五〇気圧の「超臨界」状態の水を利用する。この臨界状態の水は酸化力、すなわち腐食力がきわめて高い。あらゆる有機物は、この水に触れると破壊されて気体に変わる。この分解処理プロセスを用いれば、プリント基板上の重合体を処理できる。つまり、レアメタルを容易に回収できるのだ。[129]

ゴミはリサイクル推進のためにこれまで以上に利用される。したがって、一次産品の生産量は減少する。

リサイクルも将来世代に資する活動であるため、市場経済では利他主義が合理的になるのだ。

好循環に向かうのか

ようするに、技術進歩と生産年齢人口の増加ならびに中産階級の急激な増加が組み合わされば、経済成長の好循環が再スタートするのか。民主主義と利他主義に対する要求が強まり、暴力の発生原因が減るのか。二〇三〇年に、豊かさ、自由、平和、寛容、善意にあふれる新たな時代が到来するのは確実なのか。市場がグローバル化する状況において、地球規模の法整備は必要ないのか。新たな発想を生み出すことなく、利己主義ならびに各自が自由を個別に模索する思考を維持したままでよいのか。

まず、技術進歩が経済成長の要因であることは間違いない。たとえば、インターネット関連のテクノロジーにより、市場機能は向上し、取引コストは減るため、経済成長が促される。

たとえば、雇用主と潜在的な被用者を結び付けるオンライン・プラットフォーム（リンクトインやモンスター）は、二〇二五年までに世界のGDPを二％押し上げると見込まれている。[130] これまでに述べた多くのテクノロジーによっても、労働生産性は向上する。つまり、富の創造が増えるのだ。

次に、技術進歩は経済成長を促すだけでなく、ネット接続、防犯カメラの普及、異常な振る舞いや威嚇的な行動の予測、自己監視などによって暴力を減らし、治安を改善するだろう。

さらに、ゲノム薬理学や神経科学によって、人々の性格を温和にし、親切心を高めることもできるかもしれない。

技術進歩により、気候変動の問題も解決されるに違いない。というのは、二酸化炭素を排出するエネルギー源を利用する必要がなくなるからだ。そして社会はエネルギー消費量を大幅に減らしながら、エネルギー浪費型から情報管理型へと変わる。

技術進歩により、水資源の問題も解決できる。さらには、ほぼ無償の財とサービスを普及させることに基づく共有経済[131]や、生命の人工化を可能にする不死により、希少性（ゆえに、その管理を担う資本主義や市場経済の必要性）が減ることさえありうる。

次に、新興国の中産階級の人口増加と彼らの購買力の上昇により、支払い能力のある消費者が生まれる。二〇三〇年の彼らの購買力の総計は、今日のアメリカを超えるだろう。二〇三〇年、新興国で年収が三万五〇〇〇ドルを超える世帯の数は、二億以上になるはずだ。世界全体の消費に占めるアジア地域の割合は、今日の一〇％から二〇三〇年には五九％になる。年収が一万ドルから三万ドルまでの中国人世帯数は、二億二〇〇〇万以上になる。[132]

こうして、住宅、インフラ、医療、テレコミュニケーション、不動産、教育、娯楽、観光、贅沢のブームが世界中で起きる。そしてさらに、平和、秩序、自由、民主主義、人権に対する要求が高まり、これらの要求がイノベーションと独創力を促す。

最後に、資本が世界を自由に駆けめぐり、新たな金融テクノロジーが登場すると、資本家は最も収益性の高いところに投資するようになる。つまり、おもに経済成長率の高い新興国に対する投資が加速するのだ。新興国の力強い経済成長は、先進国の需要を喚起する。

このようにして経済成長をもたらす戦略的で地政学的な好循環が始動するなら、深刻な経済危機や世界的な紛争の危険性は遠のくだろう。

このシナリオを信じるのなら、それらの出来事が順次起きるのを待つだけでよい。各国の中央銀行に量的緩和政策を継続させ、公的債務を膨張させるだけで何もしなくてよいことになる。なぜなら、将来の経済成長が公的債務の負担を減らし、中央銀行のバランスシートに余裕を生じさせるからだ。ようするに、「心配はいらない」という結論が導き出せるのである。

テクノロジーは、金融政策を改良し、世界経済のバランスのとれた成長さえ促すかもしれない。その際、貨幣の発行は銀行には禁じて中央銀行だけに託し、ブロックチェーンを利用して配分される新たな電子マネーを活用するのだ。

自然な秩序と不死が人類の望みなのかもしれない。なぜなら、人類がこれら二つを手に入れれば、現在においても生じる無秩序と希少性に耐えることができ、激しい怒りを調和に一変させられるからだ。

ところが実際には、こうした信仰は幻想だ。これらだけでは、利己主義がはびこる社会の逸脱や、地球規模の法整備のなさがもたらす害悪を補うには不充分である。

不死という希望はまやかしとして現われ、無秩序は大混乱に変わるだろう。

このままでは、世界は大混乱へと向かう

まったく逆に、先ほど述べたポジティブと思われる要素は害悪をもたらし、われわれは最悪へと向かう。

世界経済が審判のいない市場に支配され続ける限り、それらの要素は権力者たちに横取りされ、現在の不均衡を悪化させるだけなのは理論的に明白だ。

まず、技術進歩がどれほど魅力的であっても、技術進歩によって雇用は破壊され、富のさらなる集中が加速する。

次に、中産階級は自分たちの所有権が尊重されないことや、不法行為や犯罪が野放しにされることに不満を募らせる。中産階級は自分たちの子供の暮らしぶりが自分たちよりも悪くなり、民主主義が捨て去られるのではないかと心配する。

そして不死への期待は遠のく一方であって、それは一握りの人々だけのものであり続ける。

そのような世界では、従来の理論的枠組みに従い、株主と消費者は、従業員と選挙民よりも大きな影響力をもち続ける。こうした力関係が消費と賃金、つまり物価と雇用に関する条件を決定する。すなわち、デフレが蔓延するのだ。不安定な雇用や裏切りが当たり前になる。

消費を喚起するためには、政府や中央銀行の行動（政府は公的債務を膨張させる一方、中央銀行は国や人々への融資を実行させるために、資金を際限なく銀行に貸し出す）だけでは不充分だ。なぜなら、国民は未来に大きな不安を抱いているため、余ったお金は消費するよりもすべて貯金しようとするからだ。

今よりほんの少し長生きするだろう国民は、民営化の対象になる、年金、医療、安全に関するシステムを頼りにすることができなくなるだけに、国民の貯蓄性向は高まる。

さらに、地球規模の法整備がないため、自由というイデオロギーが暗黙裡に引き起こす利己主義、自分勝手、人生の意義の崩壊が激化する。利他主義と私利私欲のない行動が登場するだけでは、勢力を拡大しつつある無秩序な力を押しとどめることはできない。

最後に、地球規模の法整備がなければテロ活動は活発化し、集団と国家との紛争解決は困難をきわめるだろう。

ようするに、それらのプラスの要素にもかかわらず、このように理論的に分析すると、二〇三〇年には、この世を耐え難く思う人々が現在よりも圧倒的に増え、ほとんどの人々がそのように感じると予測できる。あらゆる方策を講じても、経済、イデオロギー、政治などに関する些細な危機が発生すれば、二〇三〇年、世界は大混乱に陥る。世界各地で激しい怒りが渦巻き、フラストレーションが蔓延し、暴力がまかり通る。理論が教えるところによると、相互依存を強める世界では、それらすべてのことは、金融や軍事などさまざまな方面において、破壊的な危機を引き起こす。

さらに、質的および量的なあらゆる経験値からも、これらの理論的結論は確認できる。

これについては後ほど述べる。

世界が地球規模の法整備のない状態でマネー崇拝と利己主義というイデオロギーに支配され続け、われわれが自分たちの精神と「歴史」の方向性を軌道修正するために迅速に行動しなければ、つまり、地球規模で利他主義が根づくことがなければ、調和のない世界になるどころか危機が次々と訪れるだろう。そのような危機の洪水の中では、経済、社会、イデオロギー、政治、軍事の問題が、矛盾の核心に集中するため、劇薬を飲まざるをえなくなる。

次に、事実ならびに事実が意味することを記す。

人口学的観点からみたマイナス傾向

二〇一五年から二〇三〇年にかけて、世界人口は高齢化する。世界人口の平均年齢は二九歳から三二歳になる。世界人口に高齢者が占める割合は、一二%から一八%になる。ナイジェリアの人口の半分は一五歳以下だが、日本の人口の半分は五二歳以上だ。世界人口の高齢化のため、世界の貯蓄率はゆっくりと下がり始め、二〇三〇年には、先進国は一七・五%、途上国は三一・五%にまで下落する。[133] よって、年金の財源を賄うことがますます困難になる。

人口学の観点からは、世界人口の高齢化以外の切迫した問題も浮かび上がってくる。たとえば、東アジアと南アジアでは、女性の人口は男性より一億六〇〇〇万人少ない[134]。女性不足は、とくに中国、インド、パキスタン、バングラディシュで深刻化し、二〇三〇年には二億三四〇〇万人になる[135]。これは、社会的緊張、移民、紛争などの原因になる。途上国とは反対に、先進国では男性より女性の人口のほうが多くなる（その理由は、女性のほうが長生きだからだ）。先進国と同様に、新興国でも女性の人口のほうが多くなる（メキシコやサヘル地域）。そして一〇億人以上の人々（都市部で暮らす人々の二〇％）が貧民街で暮らすことになる。中産階級であっても貧民街で暮らさざるをえない者たちが現われ、彼らは強烈なフラストレーションに突き動かされる。

人口問題は、とくに破綻した国や機能不全に陥った国（権力を掌握し、暴力行使を独占する存在が不在という特徴をもつ国）にきわめてネガティブな影響をおよぼす。まずは、サヘル地域だ。たとえば、ニジェール、マリ、ブルキナファソ、チャドの人口は、今日の六七〇〇万人から二〇三五年には一億二〇〇〇万人から一億三二〇〇万人へと急増する。ニジェールの労働市場に毎年参入する若者の数は、今日の二四万人から五七万六〇〇〇人になる。農業の大改革がない限り、この人口爆弾は炸裂するだろう。たとえば、ニジェール国内にある農業に適した土地は、国土全体の一二％にすぎない。[136] 独立当時は三〇〇万人だったニジェールの人口は、二〇一六年には二〇〇〇万人になり、二〇三〇年には三五〇〇万人になる見込みだ。サヘル地域の一人当たりのGDPは減少し、この地域の多くの若者たちは故郷を離れるだろう。

したがって、人口学の観点からみると、未来は非常に暗く、そうした陰鬱な見通しはさまざまな予測に重くのしかかるのである。

ますます悪化する公害

国連環境計画（UNEP）によれば、アフリカとアジアの途上国の都市部で発生するゴミの量は、今から二〇三〇年にかけて二倍になる。大半のゴミが放置されるため、大気、水、土壌が汚染される。海洋に漂うゴミの量は、現在の魚五トンにつきゴミ一トンの割合から、二〇二五年には魚三トンにつきゴミ一トンにまで増える。このような海洋汚染により、世界中で毎年四〇〇億ドルの被害が生じる。

国際的な対策を講じなければ、二〇三〇年ごろまでに大気中の温室効果ガスの濃度は三七％増加する。そのころには対流圏オゾンの濃度の上昇によって早死にする人の数は、二〇〇〇年と比較して四倍になっているだろう（二〇三〇年、一〇〇万人当たりの犠牲者の数は世界で三〇人、アジアで八八人）。同時期に、微少粒子状物質が原因で早死にする人の数は二倍になる[137]（二〇三〇年には三六〇万人[138]）。

個人、地域、国、さらには世界レベルで、現時点では想像もできない大規模な行動を起こさなければ、今から二〇三〇年までに地球の二酸化炭素排出量は二五％増える。排出量が増えるおもな地域はアジアだ。気候変動を抑制するには、二〇一六年の第二一回気候変動枠組条約締約国会議（ＣＯＰ21）のパリ協定締結だけでは不充分だろう。

気候変動による影響は深刻化

したがって、世界中で地球温暖化による影響が深刻化する。二〇三五年ごろ、平均気温は〇・五度上昇し、乾燥地域では降水量が減って熱波が頻繁に訪れ、高緯度地方では豪雨が増える。[139]世界銀行によると、何の対策も講じなければ今から二〇三五年までに、平均気温は二度も上昇するだろうという。[140]

アフリカのサブサハラ地域の平均気温は、今から二〇三五年までに一・五度上昇すると予測されている。中央アジアと東ヨーロッパの永久凍土層は、こうした平均気温の上昇によってとけだし、土壌に閉じこめられているメタンガス（温室効果は二酸化炭素の二五倍）が大量に噴出する恐れがある。二〇五〇年までにロシアの大気には、そうしたメタンガスの二〇〜三〇％が放出されると予測されている。

よって二〇三〇年ごろ、海面は少なくとも一五センチメートル上昇すると思われる。地中海の海面が二〇センチメートルから五〇センチメートル上昇すると、最悪の場合では一八〇万人のモロッコ人が洪水の犠牲になる。極端なケースとしてエジプトのアレクサンドリアの堤防が決壊すれば、人類の遺産が破壊され、五〇〇億ドル以上の被害が生じるだろう。東南アジアの海面は、二〇三〇年ごろには七五センチメートル、二〇八〇年ごろには一一〇センチメートル上昇し、二一〇〇年ごろにはバンコクの三分の二は水没するかもしれない。

二〇一六年の時点では、サンゴ礁には海洋生物種の三〇％以上が生息するといわれている。海水温の上昇も悪影響をもたらす。ほぼすべてのサンゴ礁が白化ないし絶滅してしまうのだ。そうなれば五億人の人々の食糧事情は、深刻な事態に陥る。不死を夢見る時代に人間の生命そのものが危機にさらされるのだ。

こうした推移は経済と政治に破壊的な影響をおよぼす。この流れを食い止めるには、法制度を抜本的に改革するしかないだろう。

水資源の枯渇

人口増加、都市化、世界各地での集約的農業の推進などの影響により、地球規模で一致団結した行動を起こさなければ、人類は深刻な水不足に悩まされる。世界人口の半分に飲料水を供給する地下水は、これまで以上に過剰に採取されるだろう。というのは、二〇三〇年までに水の需要は、三五％増加するからだ。世界の水資源の一人当たりの年間利用可能量は、二〇三〇年には少なくとも五一〇〇立方メートルにまで減るだろう。ちなみに、一九五〇年はその三倍、二〇一六年はその二倍だった。

ようするに、二〇三〇年、世界人口の三分の二は水不足に悩まされる。[141] 水不足の理由は、汚染された水は生活用水に適さないからでもある。[142]

水不足に悩まされる人々が今日の一〇億人から三〇億人になるのだ。そして「深刻な水不足」[143]が発生する地域に一八億人が暮らすことになる。たとえば、パキスタン、南アフリカ、インドと中国のいくつかの地域である。水は、石油をはじめとする一次産品よりも希少な財になるのだ。

地球規模の迅速な対策を講じなければ、水不足の発生は不可避であり、これは自然と人類の均衡にとって破滅的な事態になるだろう。水不足によっても人類のサバイバルの条件が再検討される。水不足の影響については後ほど述べる。

悪化する食糧事情

気候変動は、ロシア、カナダ、ウクライナにはプラスの影響をもたらすだろう。これらの国では農業生産性が向上する。「気候変動に関する政府間パネル（ＩＰＣＣ）」によると、二一世紀、これらの国々とは反対に世界全体では、気候変動によって農産物の収穫量は一〇年ごとに二％減るという。国によっては、気候変動と水資源の枯渇により、多くの水を必要とする作物の収穫量は五〇％近くも急減する。

アフリカでは一八五〇年に存在した植物種の半数は絶滅し、トウモロコシ、キビ、モロコシなどの耕作地の半分がなくなる恐れがある。

ラテンアメリカでは、春にアンデス山脈の雪解けによる水量が減り、五〇〇〇万人の農民に影響が生じる。最貧層はミルクを購入できなくなる。

魚に関しては、二〇三〇年ごろに、フィリピン南部の漁獲量は三〇％減る。

一方、土壌汚染が進む。そして土壌の質とは関係なく、農産物の質は著しく低下する。

ようするに、世界の食糧事情は二〇四〇年ごろに最盛期を迎え、その後は悪化の一途をたどるのだ。その結果、農産物価格は急騰する。

パキスタンとネパールは食糧を自給自足できなくなる。食糧を自給自足できなくなった国では、飢餓が再び蔓延する。

移民の増加

気候変動、ヒトの移動の自由、地域間の生活レベルの違いなどの理由から、人類はこれまで以上にノマドになる。出生国を離れて暮らす人々の数は、二〇一五年の二億四四〇〇万人から二〇三〇年には三億人になる。[144]

気候変動の影響を最も受けやすい国の一つとみられるバングラディシュからは、五〇〇〇万人から六〇〇〇万人の移民が発生すると思われる。フィリピンとアフガニスタンの人口の一〇%以上も、自然災害が原因で移民を強いられる。インドは七〇〇〇万人、中国は二二〇〇〇万人が毎年祖国を離れる。[145] サヘル地域の人口の三〇%以上は、自然災害のためにこの地域から離れようとする。

とくに、途上国から途上国への移民が急増する。アフリカのサブサハラ地域とアフリカの角〔ソマリア全域とエチオピアの一部などを占める半島〕からの大量の移民がアジアへ押し寄せる。

国連によると、移民の純流入量は、北アメリカは一八〇〇万人、ヨーロッパは少なくとも一三〇〇万人になるという。

移民の受け入れおよび社会統合を円滑に進める仕組みが整備されることなく、また現行の法整備のままであれば、そのような大量の移民により、社会には、無秩序、暴力、激しい怒りが生じるのは自明だ。このことについては後ほど述べる。

イノベーションが労働市場に衝撃をもたらす

地球規模の法改革が行なわれず、人生や労働に新たな意義が見出されないのなら、二〇三〇年には、技術進歩によって現在の雇用の半数以上は失われるだろう。まずは単純労働がなくなる。だが、これを埋め合わせるだけの雇用は創出されない[146]。

アメリカの雇用の四七％は、オートメーション化の「高リスク」群に入る[147]。影響を受けるおもな職業分野は、飲食業、物流業、金融業、保険業である。ヨーロッパにおける見通しも同様だ。インド、バングラディシュ、ネパール、エチオピアでは、農業を除き、雇用の七〇%以上が脅かされる。

オートメーション化が難しいのは、触感に頼る、高度な管理能力を要求される、独創力や現実認識力（社会的、情緒的なインテリジェンス）が必要な職業である。オートメーション化が難しいのは、とくに医療や教育の分野の職種だ[148]。

新たなテクノロジー、娯楽、教育、医療、ロボット工学などの分野で新たな雇用が創出されるが、それらだけでは失われた雇用を補塡できない。また、労働市場だけでは学生と労働者を新たな雇用にタイミングよく導くことはできないだろう。（学生と労働者の職業訓練、労働市場の再構築、労働時間の削減、地球規模の大型プロジェクトを実施するための）法改正がなされなければ、世界中で大量の失業が発生し、失業が慢性化する。

もしそうなれば、保護主義やポピュリズム、そしてエコロジーや宗教あるいは世俗の原理主義、スケープゴート探しなど、政治面でさまざまな弊害が生じる。

富は集中し続ける

抜本的な法改正と意識改革がなければ、社会はマネーに支配され続ける。富の極度の集中を妨げるものは何もない。すでに偏在する富は、ますますいびつな形で肥大する。創造される富は世界規模で分かち合うしかないのだが、そのための仕組みが何もない。技術進歩があっても、それらのイノベーションに関与した一部の人々が巨額の富を手に入れるだけだ。

労働者間の競争により、賃金には下方圧力がかかり、労働組合は弱体化する一方だ。さらに、一五年後には都市化率が五〇％から六六％になるため、人々の絆は弱まり、格差社会における富の偏在は加速する。

貧困は解消されるどころか増加する。

二〇三〇年、アフリカ人口の四〇％の収入は一日当たり一・二五ユーロ未満だ。[149] 彼らと対極にあるピラミッドの頂点に立つ世界の最富裕層の一％だけで、世界の富の五四％を牛耳る。ちなみに、二〇一五年は五〇％だった。

こうした富の偏在は、とくに北アメリカにおいて顕著になる。北アメリカでは、最富裕層の一％が所有する富は、現在の富全体の六三％から六九％になる。[150]

先進国の中産階級の所得は伸び悩む。彼らの中にはプロレタリアートになる者も現れる。北アメリカの国々が持続的な経済成長を取り戻すと仮定しても（おそらくそうはならないが）、これらの国々の住民の二〇～四〇％の所得は増えないだろう。そして経済成長が乏しければ、西側諸国の住民の七〇～八〇％の所得は、二〇三〇年ごろまで停滞ないし減少するはずだ。[151]

こうした格差は外国に移民しなければ解消されない。中産階級は移民しないのなら、最貧層の仲間入りをするだけである。

激怒の社会構造

世界中の社会に蔓延する憤懣は、次第に激怒になる。つまり、それは数年前から再び活発になった暴力行為が拡大し、そうした暴力がいたるところで炸裂する社会状況である。先ほど述べたように、激怒が蔓延する社会は、現代のおもに二つの側面がもたらす結果といえる。

一つは、個人の自由を求めるイデオロギーが支配的になることだ。このイデオロギーにより、欲望とフラストレーションの源である、利己主義、裏切り、短期的な利益を優先する態度が駆り立てられ、全員が自己の即時的な欲望を満たすための手段として民主主義を利用するようになる。

もう一つは、世界的な法規制のない市場がグローバル化して不均衡が増幅し、私的および公的な暴力が横行する条件が整うことだ。

不均衡の増幅

個人の自由の正体

個人の自由が行き過ぎると、個人的な楽しみが際限なく正当化される。そうなると誰もが自分のことにしか関心を抱かなくなる。

第一に、次世代に自由を保障するためなら、自分の命をなげうってでも成し遂げようとする者は現われなくなる。

どんな人生であっても称賛に値し、すべての死は非業であり、個人の悲劇は国民的物語になる。死はまったく許容できないものになるのだ。

軍隊は「戦死者ゼロ」を要求されるため、ロボットやドローンを利用する。兵士は、自分たちの代わりに戦うドローンや地上ロボットを遠隔操作する。[152]

二〇三〇年、ドローンは、偵察、分析、計画、反撃し、人間の介入なしに軍事的な決定を下すようになる。安全を確保するためのあらゆる業務において、数億台のドローンが兵士や警察官の補助をする。警察の捜査班にはドローンが配備される。ドローンは、警察の捜査班が行なう、監視、追跡、危険な現場への突入の手助けをする。ドローンは軍事基地や重要なインフラ設備（原子力発電所、貯水池、弾薬庫）などの周辺にも配備され、それらの施設を監視および保護する。ドローンは、戦場においてジャーナリストの代役も務める。

次に、医療は予防医学や公衆衛生を犠牲にして、個人の健康を守る役割を担うようになる。保険は他の商品のようにオーダーメイド化される。保険会社は、被保険者の普段の食事内容、スポーツの習慣、家庭環境などを調査して保険料を決定する。[153] 保険会社は、こうしたパーソナライズされた保険商品を提供するために、病院やスタートアップ企業とパートナー契約を結び、ホーム・オートメーション、スマート・ハウス、インターネット接続型医療機器、スマート・シティの各種センサー、介護ロボットなどを通じて、情報を最大限に収集する。富裕層は不死の追求という妄想にとりつかれる。

最後に、生命を最大限に優先するようになるため、とくに物事の探求に際してわずかなものであれ、リスクは一切認められなくなる。将来世代に影響がない場合であっても、いかなるリスクも許容されない。こうした態度により、探求や冒険などの活動は、無駄なリスクを冒す行為とみなされ、著しく停滞する。

地政学的秩序の崩壊

他の大陸と比較してアジア諸国が急速に発展するため、国家間の均衡は急速に変化する。そうはいっても、二〇三〇年に政治、メディア、文化、イデオロギーの面で世界最大の勢力はアメリカだ。とくに、アメリカはＧＤＰ二四兆ドル（二〇一〇年のドル換算）の世界最大の経済大国であるだろう。

しかし、世界経済に占めるアメリカの割合は、二〇一五年の二三％から二〇三〇年には二〇％になる。[154] アメリカとは反対に、中国とインドの割合は増加する。購買力平価換算のＧＤＰでアメリカをすでに追い抜いた中国のＧＤＰは一八兆九〇〇〇億ドル、インドのＧＤＰは七兆三〇〇〇億ドルに達する見込みだ。[155] トップ集団の後続は、日本の六兆五〇〇〇億ドル、ドイツの四兆三〇〇〇億ドル、さらに下がってフランスの三兆五〇〇〇億ドルだ。

世界の権力の中枢であるアメリカに代わる国はまだ現われない。ＥＵが維持、強化され、ＧＤＰでアメリカを追い抜いても、二〇三〇年のＥＵは、統一感のある勢力ではないだろう。

市場が民主主義を凌駕するという理論が語るように、企業はそれらの国家よりもさらに強力になる。トップ企業の売上高は大国のGDPを上回る。たとえば、アップル社の売上高は、二〇二四年に四兆五〇〇〇億ドルに達する（この会社が過去一〇年間の成長率を維持する場合）。これは二〇一五年のフランスのGDPの二倍以上であり、二〇三〇年のインドのGDPの半分以上に相当する。二〇二四年のアマゾン社の売上高は一兆ドルに達すると思われる。[156] 二〇二五年の『フォーチュン500』にランキングされる上位六社（アップル、フェイスブック、アマゾン、グーグルなど）の売上高は、各社とも一兆ドルを超えるだろう。

それらの企業は、出身国を含め、国から独立した存在になり、国同士を競争させることによって自分たちの企業活動に有利な条件を国に押しつけるようになる。国は規制緩和の推進によって国としての役割を果たせなくなる。政策手段がないため、各国の民主的な機構や国際機関の信用は失われる。

公的債務の膨張と財政支出の漸次削減

そうした状況において、国民は増税に反対するが、公的サービスを減らしたいわけではない。つまり、国民はますます利己的になり、公的サービスの財源を賄う重要性を理解しなくなるのだ。よって、政府は思うように増税できない。こうして公的および民間の赤字が増える。すなわち、公的および民間の債務が膨張して史上最悪の状態になる。

この傾向が続くと、二〇三五年ごろに世界の公的債務は、世界のGDP比で九八％になる。[157] 二〇三〇年のアメリカの公的債務のGDP比は一一六％、日本は二六四％、ユーロ圏は九七％だろう。公的債務の膨張により、金融関係者には巨額の資金が供給されるため、資産価格は期待収益とは関係なく急騰する〔バブルの発生〕[158]。

ようするに、公的サービスの財源を賄うのがますます難しくなるのだ。

公的サービスの衰退

こうした人口学的、財政的な状況において、国の財源は乏しくなり、公的サービスに対して高まる需要を賄えなくなる。

第一に、インフラ設備のメンテナンスが困難になる。アメリカ土木学会によると、アメリカだけで、道路、鉄道、水道、送電などのネットワーク、港湾施設、河川、空港設備のメンテナンスのために、二〇一六年から二〇二五年までの期間に一兆四四〇〇億ドルが必要になるという。

アフリカでは、上水道施設と新たな灌漑システムに必要な巨額投資を賄うために、毎年、多額の資金が必要になる。今後二五年の水需要を満たすだけでも八〇〇億ドルもかかる。

インドでは、二〇三〇年までに新たな都市ネットワークを構築するために一兆二〇〇〇億ドルが必要になる。

同様に、国民全員が利用できる医療体制は優先課題なのだが、これを維持するための財源が枯渇する。新たな医療技術や治療法を利用できるのは富裕層だけだ。医療格差が生じるのである。

アメリカ国民、そしてフランスの一部の社会層ですでに始まっているように、平均寿命が短くなる。そのおもな原因は、西側諸国における精神的荒廃、そして脱法ドラッグや鎮痛剤の濫用である。

アフリカでは、何の対策も講じなければ、エイズ感染は毎年年間二〇〇万人の感染者を出しながら拡大し続ける。おもな感染者は、アフリカ南部に住む働き盛りの男性である。また、人口増加、都市化、移民、気候変動、貿易などの影響から、水を介して感染する病気（コレラ）や、昆虫や変温動物を介して感染する病気が流行する。

そしてありふれた病気を介して既存のウイルスや多剤耐性菌の変異、または蚊を介する新たな伝染病によって、これまでにないタイプのインフルエンザが明日にでも流行する兆しがある。だが、そのための準備はまったくできていない。新型インフルエンザは、少なくとも一九一八年から一九二〇年にかけて人類のおよそ五％が犠牲になった「スペイン風邪」と同じくらいの猛威を振るう恐れがある。

また、しっかりとした法の支配がないため、そして利用可能な財源から考えて、多くの教育システムは深刻な財政難に陥る。

途上国は、基礎教育の普及に必要なインフラ設備を構築するための予算を計上できない。したがって、学校教育の質の向上、校則の遵守、有能で人格的に優れた教師の育成のために必要な法整備、学校施設の充実などの予算にまで手が回らない。学校システムが崩壊し、若者の失業が増えると、彼らの間では、過激な思想や原理主義が広まる。

市場民主主義という理想の再考

民主主義に対する批判の声は次第に高まり、ついに民主主義は否定される。なぜなら、民主主義は意義を失い、市場は制御不能に陥るからだ。

たとえば、民主主義の社会では、長期的な課題に対処できない、不人気な決定は下せない、技術進歩を一部の人のためにしか利用できない、気候変動に対処できない、移民を制御できない、社会の調和を保てない、国民の声を広く反映させられない、ましてや将来世代を考慮できない。また、富や権力の偏在を解消できない、市場の力を緩和できない、雇用を創出できない、中産階級の生活レベルを維持できない、安全を保障できない、人々の憤懣に意義を見出すことができない、激怒を制御できない。

いわゆるエリートと呼ばれる人々が再生産され、彼らは自分たちの利益に応じて物事を決定する。人々はノマド化し、文化的基盤を失って国益を顧みない。中産階級は、エリート層と移民、つまり高級ノマドと哀れなノマドを憎むようになる。

そのような民主主義に対する批判の矛先は市場にも向かう。多くの人々は次のように説く。すなわち、労働と消費の自由は幻想でしかない、超富裕層だけが優遇される、知的所有権が保護されない、経済成長がない、雇用が不安定である、生活環境の劣悪な人が大勢いる、環境破壊が進む、暮らしはますます厳しくなるなどだ。

次世代のために自由を守りぬくよりも即時の快楽が優先される。自己中心主義が猛威を振るう。他者あるいは大切な価値を守るために命を懸ける者は誰もいない。自分たちとは異なる人々、とくに〝よそ者〟たちがスケープゴートにされる。彼らは糾弾され、排除される。

市場と民主主義が飽くなき欲望を喚起し、これが解き放たれる。そうなるとモノや名声に対する欲望が満たされないために、フラストレーションが蔓延する。こうして人々は、民主主義と市場を、定住民である国民の利益に反するノマドなイデオロギーの使者だと糾弾する。

自由は、悪魔的な部分をさらけ出す権利だともみなされる。つまり、それは自身の本性であり、自意識や自己の尊重の拘束から逃れ、極悪非道になる、不寛容になる、自虐的になる、他者を攻撃するなどの、自由になる権利だという解釈だ。憤懣や激怒は自由によって正当化され、そうした激しい感情が逆に自由に襲いかかる。

こうして激しい暴力や宗教原理主義に基づくラディカルなエコロジーというイデオロギーが登場する。民主主義が否定され、全体主義が復活する。脱宗教や原理主義を口実に民主主義と決別する準備が整う。

誰もが安全を買い求める超監視社会では、あらゆるテクノロジーが利用される。安全を確保するために自由は忘れ去られる。民主主義は「民主主義を装った独裁制」という段階を経て独裁制へと移行する。

怒りを表す手段が増える

こうした無秩序に対し、暴力、とくに公権力が振るう暴力は拡大し続ける。国は、財政難を理由に教育費と医療費を削減する傍ら、民事と軍事の双方に利用できる数々のテクノロジーによって過熱する軍拡競争にしのぎを削る。

加速する軍事イノベーション

二〇三〇年、制空権の掌握がこれまで以上に重要になる。それはネットワークで機能する空中センサーの普及によって新たな戦術が可能になるからでもある。よって、軍隊はあらゆる迎撃をかいくぐる超速の武器を発明し、装備しなければならない[159]。グライダーや巡航ミサイルなどは、音速の数倍の速さで飛行する遠隔操作可能な武器になる。

兵士の生命を守り、殺戮手段を増強するためのテクノロジーも進歩する。仮想現実を体験できるヘッドギアつきのパワードスーツにより、軍務に必要な身体および精神の能力は著しく向上する。海軍もこれと同じ手段を利用する。

サイバー戦争により、戦争と平和の境目はますますはっきりしなくなる。新たな毒物が簡素で移動可能な実験室において開発される。小型の化学反応器によっても化学兵器の製造が容易になる。一九七二年の生物兵器禁止条約にもかかわらず、遺伝子組み換え病原体が開発される。

最後に、化学と生物学の融合によって、たとえば、化学兵器の致死力と生物兵器の伝染力を兼ね備えたハイブリッド型の兵器が登場するかもしれない[160]。

国やテロ集団がこれらすべての民生イノベーションを利用する恐れがある。

激化する軍拡競争

無秩序に陥る世界では、アメリカ、ロシア、フランス、イギリスが核拡散防止条約に基づき核軍縮を進めるものの、それら以外の国は軍備を急拡大させる。二〇三〇年、国の軍備とはいえ、殺戮手段は恐ろしいほど進化する。

アメリカの軍事予算はGDPの三・三%になる。アメリカ海軍は、二〇三四年に海軍仕様のF35戦闘機を搭載するジェラルド・R・フォード級航空母艦クラスの新型空母三隻をはじめ、三〇〇隻の戦艦を保有する。[161]

一方、アメリカ空軍は二一〇〇機以上の戦闘機を配備する。アメリカ軍は、超音速のミサイル撃墜レーザーを搭載したドローンも配備する。このドローンは爆撃能力をもち、二〇二八年にはミニットマン兵器を受け継ぐ新世代の大陸間弾道ミサイルを搭載する。二〇三〇年から二〇四〇年にかけて、新型B‐21爆撃機がB‐52とB‐1Bに代わって核爆弾を搭載する。

そして、二〇二二年からアメリカの核爆弾は、従来のB61に代わって、破壊力が格段に高く精密誘導装置付きのB61‐1になる。[162]アメリカ本土は、弾道弾迎撃ミサイルの防衛システムで守られる。歩兵に代わり、歩兵の数を大幅に上回るロボットが大量に導入される。[163]

ロシアも再び軍拡を進める。二〇二〇年のロシアの軍備は次の通りだ。四〇〇発以上の大陸間弾道ミサイル、一〇〇機以上のスパイ衛星、四五〇機の戦闘機、五六個のＳ－４００超長距離地対空ミサイル・システムを装備する大隊、一五隻の原子力潜水艦、五〇隻の戦闘用フリーゲート艦、二三〇〇台以上の戦車、三四〇万人以上の兵士（予備役を含む）である。

ロシアの軍事予算は、ＧＤＰの五％を安定的に推移する。[164] とくに、ロシアは弾道ミサイル原子力潜水艦の二番艦（二〇発の大陸間弾道ミサイルを搭載するボレイ型原子力潜水艦を八隻）を保有する。ロシアは遠距離偵察用の耐火性地上走行型ドローンなど、新たな兵器を開発する。

そしてロシアはサイバー戦争に積極的に参戦する。

フランスも軍事大国であり続ける。とくにヨーロッパの軍隊を牽引する。

フランス空軍は、ラファール戦闘機を補完してミラージュ２０００Ｄ航空隊を増強し、三機の新型空中給油機と五〇機の軍用輸送機を配備する。[165]

フランス陸軍は、攻撃および輸送ヘリコプターや三番目となる軍用人工衛星を保有する。

フランス陸軍特殊部隊には、二機の戦術輸送機、そしておそらく二隻目の空母が配備される。また、四隻の弾道ミサイルを搭載する原子力潜水艦を保有し続ける。

イギリスは、一六〇機のユーロファイタータイフーンを含む三〇〇機以上の戦闘機を保有する。イギリス空軍は西ヨーロッパ最強になる。またイギリス海軍も二隻の空母と弾道ミサイルを搭載する潜水艦隊のおかげで、小規模ながらもイギリス史上最強になる。[166]

二〇三〇年、中国はアメリカよりも多くの軍用機を保有する。[167]

中国海軍の戦力は、四一五隻の軍艦、六〇隻の従来型の潜水艦、一二隻の原子力潜水艦、四隻の空母、二六隻の駆逐艦、四〇隻のフリーゲート艦、二六隻のコルベット、七三台の水陸両用車、一一一隻のミサイル艇である。[168]

中国空軍の戦力は、一三〇〇機の戦闘機、四五〇機の輸送機、七〇〇機のヘリコプターである。[169]

中国は、二四〇発の核弾頭、七五発の大陸間弾道ミサイル、六〇発の潜水艦発射弾道ミサイル、五〜六隻の弾道ミサイル潜水艦を保有する。

二〇三〇年の中国の軍事予算は、アメリカと同程度になるだろう。

インドは軍艦でロシアに次いでアジア第二位、空母で世界第二位になる。

インド海軍の戦力は、一二隻の従来型の潜水艦、七隻の弾道ミサイル原子力潜水艦、一六隻の駆逐艦、四隻の空母である。

インド空軍の戦力は、三六機のラファールを含む八〇〇機の戦闘機、三〇〇機の輸送機、六五〇機のヘリコプターである。

インドは、少なくとも一〇〇発の核弾頭、二五発の大陸間弾道ミサイルも保有する。

北朝鮮は、二〇一六年の時点では六～一〇発の核弾頭しかもっていないが、二〇二〇年までに一〇〇発の核兵器を保有する。[170・171]

北朝鮮の弾道ミサイルには、従来型の火薬、化学兵器、生物兵器、さらには核弾頭が搭載される。北朝鮮は、アラスカまで到達可能なミサイルに搭載できる小型の水爆も開発するだろう。

北朝鮮のこうした脅威に対し、日本と韓国も核開発を進める。

韓国は、有事の際に北朝鮮が行動を起こす前に北朝鮮の弾道ミサイル発射基地を攻撃するためのシステムをつくり上げる。[172] これは迎撃ミサイル・システムを兼ねる。

イスラエルは戦闘態勢を維持する。二〇三〇年には七五機のF‐35を保有し、核軍備とミサイル防衛システムを増強する。

一部の国（ロシア、中国、イラク、北朝鮮、シリア、イラン、インド、パキスタンなど）は、生物兵器の研究および製造の拠点をもち続ける。

勢力を伸ばす非合法集団、犯罪組織、セクト

二〇三〇年、国際刑事警察機構（インターポール）によると、法の支配が強化されないため、悪党たちはネットワークを使って犯罪および非合法な活動を組織する。それらの組織は、あらゆるテクノロジーを利用して犯罪手段を共有化し、ますます洗練された装備で活動する。

犯罪組織は合法企業のように従業員を雇う。従業員たちはおもに卑劣な金目当ての連中だ。最先端のテクノロジーを利用する犯罪組織は、自分たちの専門分野に応じて他の犯罪組織と協力する。「犯罪の自営業者たち」が犯罪ネットワークを通じてプロジェクトごと

に結託するようになるため、組織犯罪の従来の掟は崩れる。それらの「犯罪ノマド」たちは最新のテクノロジーを利用する。

組織犯罪はいたるところでピンハネをする。外部オペレーターへの委託や、データ保存の分散化などの欠陥を突いて、犯罪ノマドが巣をつくる。

高性能の自動運転車により、人身売買や違法な移民の輸送が活発になる。グローバル・ポジショニング・システム（GPS）や気球無線中継システムにより、犯罪者は当局の捜査から逃れる。

3Dプリンターにより、違法な取引は個人の領域に姿をくらます。たとえば、誰でも深層Web〔通常の検索エンジンでは収集できない情報サイト〕でブランド品の設計図を手に入れて模造品をつくり、独自の医薬品や麻薬を合成し、武器を製造する。それらの取引は、インターネット上で暗号通貨という隠蔽された手段で決済される[173]。

犯罪ノマドは、ビッグデータを活用して偽の身分証明書を発行する高度なシステムを構築する。盗品や電子データの交換のための市場が発展する。

たとえば、銀行の全情報（カードの番号、融資、買い物履歴など）を収集するためにRFID〔自動認識技術〕が悪用される。生体情報が盗まれ、税関や警察の捜査から逃れるための偽の身分証明証が作成される。こうして、麻薬密輸、人身売買、希少生物種の密輸などが容易になる。

したがって、法支配の確立に向けて速やかに行動しないと、二〇三〇年には、横領、強奪、恐喝の犠牲になる個人ならびに多国籍企業や国際機関が続出するだろう。

最後に、ナノテクノロジーとロボット工学により、ほとんどの産業活動の中枢に組み込まれている知能システムを、犯罪企業が制御するようになる[174]。

世界中で怒りが爆発

こうした入り組んだ状況では、経済と政治の当事者は相互依存を強めるため、法の支配は脆弱になる。すなわち、経済の利己主義と政治の無分別により、すべての長期的な課題は顧みられず、他者の幸福を願うという利他主義の効用は理解されない。前章で述べたように、些細なことであっても、怒りが爆発する。

また、ちょっとした経済危機や軍事的な小競り合いであっても、重大な事態に陥る恐れがある。あらゆることが経済や軍事システムに深刻な影響をおよぼすのだ。具体的にいうと、地域的な危機が同盟関係とその波及効果により、経済または軍事の面で、あるいはそれら両面において、世界全体を危機に陥れるのだ。

経済と金融の世界的危機を引き起こす六つの火種

前章で叙述し、そしてこの章で紹介した実証データが示すように、市場やイノベーションだけでは、生産手段がすべて利用される安定的な均衡状態はつくり出せない。また、政府ならびに民間の債務を一掃することもできないだろう。

先ほど述べたこととは反対に、人口の推移により、さまざまな混乱が生じる。たとえば、技術進歩は、資産格差を広げ、慢性的な失業を生み出し、ロボットの導入は失業をもたらす。そして歳出を賄うことはますます難しくなる。公的債務は膨張する一方だろう。

世界的な法の支配はなく、市場の欠陥を補う機能はない。そこで、われわれは中央銀行を頼りにするしかない。[175] 前述のあらゆるデータによって不可避であることが示されたこうした不均衡な状態では、小さなショックが大惨事につながる。

より詳細に述べると、六つの火種が怒りに火をつける。

1. 中国では、不動産部門、公営企業、規制の対象外の金融業者の借金バブルがはじける。すると株式市場が暴落し、人民元が大幅に切り下げられ、世界の為替市場は危機に陥る。当然の結果として、クーデターが勃発する。最悪の場合では、中国は国境を封鎖し、保護主義という大波を引き起こす。中国の製造業は崩壊し、これが一次産品の価格を急落させる。そうなれば、世界経済は危機に陥る。

2. 保護主義の激化によって危機が発生する。競争と不況に直面し、保護主義と国家主権主義に閉じこもる国が増える。とくにEUとアメリカは、アジア地域からの輸入品や、メキシコ、中東、サヘル地域からの移民が大量に押し寄せるという恐怖心から、国境を閉じてしまおうという誘惑に駆られる。[176] こうした傾向が顕著になれば、国際貿易は大きな危機を迎え、世界経済は崩壊する。

3. ヨーロッパの危機は、次のように展開する。イタリアやドイツの銀行システムが崩壊する、あるいはユーロ圏の国が自国通貨への回帰を問う国民投票を行なうため、それらの国から預金が流出する。この危機もヨーロッパだけにとどまらず、すぐに世界全体に波及する。

4. 国の巨額債務バブルの崩壊は、中央銀行が大量に供給する調達コストがほぼゼロの流動性によって引き起こされる。いずれにせよ、巨額の債務は維持できなくなり、金利と物価は急上昇する。[177]とくに日本が抱えるリスクは著しく高い。その理由は、日本はすでにマネタイゼーション〔日銀の国債買い入れ〕を積極的に行なっているからであり、また、人口に占める退職者の割合が増えるため（彼らは生活のために預金を取り崩す）、今後五年の財政収支は赤字で推移するからだ。日本の危機により、日本円の価値は大幅に下落する。円暴落は、すべての政府の資産クラス〔同じようなリターンやリスク特性をもつ投資対象になる資産の種類および分類〕に影響をおよぼし、現金やゴールドへの逃避が加速し、世界経済は崩壊する。

5. アメリカの金融危機は、アメリカ企業を含む企業に対してきわめて投機的なポジションで投資するシャドー・バンキング・システムの主要プレーヤーの破綻によって引き起こされる。この破綻によってアメリカの金融システムは崩壊し、未曽有の世界的な危機が発生する。

6. 原油価格に絡む危機は、テロ集団や海賊、さらには原油価格を一バレル当たり一〇〇ドル以上で推移させようと企む国が、ホルムズ海峡やマラッカ海峡を閉鎖することによって勃発する。この危機も世界経済に壊滅的な影響をおよぼす。

それら六つの火種のどれかが危機を引き起こす可能性は日増しに高まるが、こうした地球規模の危機が一体どのくらいの被害をおよぼすのかは、誰にもわからない。いずれにせよ、この危機により、少なくとも一〇年間は不況やデフレに見舞われる。世界人口の大部分は生活レベルの停滞ないし低下を余儀なくされる。とくに、中産階級の生活レベルの低下は、政治と軍事に壊滅的な影響をおよぼす。民主主義はそうした影響に耐えられない。

世界大戦を勃発させる六つの起爆剤

軍拡の推進、軍事力の拡散、非国家的武装集団の軍備増強、そしてアメリカなどの巨大勢力の不条理かつ無謀な行動、一触即発の地域の出現（サヘル地域、東・南シナ海、中東の湾岸地域）、紛争を回避させられる国際機関の不在など、世界大戦が起きる可能性は日増しに高まる。世界大戦は、多くの地域的な危機によって勃発する。それらの危機が連鎖反応を引き起こすのだ。次に、発生確率の高い順にそれらのシナリオを記す。

1. 東・南シナ海の危機

この地域に位置する国々からさまざまな危機が発生する恐れがある。

中国の現体制（一党制支配の世界最長記録になるかもしれない）は、二〇二二年に人口規模で追い抜かれるインドとの競争に脅威を感じる。中国の隣国（ベトナム、マレーシア、フィリピン、ブルネイ）は、中国が南沙諸島に人工島を建設していると主張するように、中国は世界最大勢力の座を早急に手に入れるために、尖閣諸島などがある日本の領海に人工島をつくるなど、挑発的な行動に出る。

アメリカは日本を支援する一方、中国は北朝鮮を支援する。北朝鮮はアメリカに対して本格的な核攻撃を開始するかもしれない。そうなれば北アメリカでは五〇〇〇万人の死者と二五〇〇万人から五〇〇〇万人の負傷者が出る[178]。北アメリカの人口の五〇％は、核爆発の際に被爆する。農地の四〇％以上は残留放射線の被害を受け、アメリカの発電所の三分の一は破壊される。その場合、この核攻撃を受けた生存者の寿命と生活の質は、中世の時代の人々と似たようなものになるだろう[179]。

北朝鮮は核兵器を使って日本も攻撃しようとする。そうなれば戦争になり、日本の同盟国であるアメリカも参戦する。アメリカはすでにグアムの軍事基地に北朝鮮の大陸間弾道ミサイルに対する防衛システムを配備している。

また、北朝鮮は韓国も占領しようとするだろう。そうなれば、北朝鮮とアメリカの戦争が始まる。アメリカは、国境沿いの非武装地帯に二万八〇〇〇人、日本とグアム駐留基地に四万人の兵士を有する。こうして世界戦争が勃発する。中国が関与する危機の別のシナリオとして、中国とインドが大河川の水資源の管理をめぐって衝突することが考えられる。

2. 旧ソビエト連邦における危機

ロシアの人口は減少し、高齢化する。イスラーム系国民がロシア人口の一〇%に達し、極東地域では中国系国民が多数派になる。[180] 潜在的な敵に囲まれるロシアは、率先して、あるいは脅威を感じる反応として、孤立状態を打ち破り、この包囲網を突破しようとする。

まず、ロシアはシベリアの管理をめぐって中国と衝突する。シベリアは温暖化の進行によってまもなく肥沃な大地になる。ロシアはクリミア（クリミアは電力供給をウクライナに依存している）とウクライナ東部の独立派の拠点地域を結ぶ細長い一帯を、またしても占領するだろう。アメリカとヨーロッパは、ロシアのこうした侵略を思いとどまらせるためにウクライナへの支援を強化する。ウクライナに武器を供与し、北大西洋条約機構（NATO）にウクライナを加盟させることを検討する。アメリカとヨーロッパのこうした動きを開戦事由と解釈するロシア政府は、アメリカに向けて先制攻撃を仕掛ける。

ロシアはカリーニングラードの飛び地状態も解消しようとする。とくに、少数派のロシア語を話す人々と、ラトビア、リトアニア、エストニアなどの人々との間で、民族的な緊張が高まる場合であればなおさらだ。ロシア軍は先述のバルト三国を三日間で占領できる。ロシアがバルト三国に侵攻すれば、エストニア（本格的なサイバー防衛に取り組んだ最初の国）はサイバーアタックを仕掛け、バルト三国全体が反撃に出る。そうなればおそらくＮＡＴＯが介入し、ついには世界大戦へといたる。[181]

ベラルーシが西側ヨーロッパ陣営につくなら、ロシアは、ベラルーシを奪回しなければならないし、それは可能だと考えるに違いない。これもＮＡＴＯ加盟国との戦争になる。西側ヨーロッパとロシアの二大勢力圏は軍事力で拮抗する。そのため、とくにポーランドをめぐる緊張が高まる。この一触即発の状態は容易に暴発する。こうして二大勢力圏は戦火を交えることになる。

最後に、ロシアとトルコとの間での危機だ。この危機は、シリアでの紛争やイスラーム国との戦いですでに疲弊した地域を荒廃させる。トルコはＮＡＴＯの加盟国なので、トルコとロシアの戦争は、地球規模の紛争の引き金を引くことになりかねない。

3．パキスタンの核戦略

パキスタン出身のテロ集団がインドに攻撃を仕掛けるのであれば、インドの精鋭部隊は従来型の攻撃を開始し、国境近くに位置する核弾頭が格納してあるパキスタンの軍事基地を掌握しようとする。そうなれば、パキスタンはインド軍の侵攻を食い止めるために、自国の戦術核兵器を利用する武力行使を決断する。一方、インドは、「戦術的利用」と徹底的な破壊を目的とする戦略的利用を区別せず、核兵器による全面的な反撃に出る。この戦争によっても世界規模の核戦争が勃発する恐れがある。

原理主義の集団がパキスタンの政権を握るのなら、パキスタンの核武装を解除することが世界の課題になる。まず、従来型の攻撃によってパキスタンの核弾頭を無力化する。それでもこれらの兵器の一部を無力化できなかった場合、インドはパキスタン領土に軍隊を送り込む。その際、原理主義者たちに人質にされているパキスタンの民間人に危険がおよぶ。失うものは何もないパキスタン参謀本部は、自分たちの戦術核兵器が宿敵の手に落ちるくらいなら、これらの武器を使ってしまおうと思うかもしれない（あるいは、基地の指揮官たちが独断で行動するかもしれない）。

4. 中東の危機

中東の危機にはいくつかのシナリオが考えられる。

まず、シリア発の危機を語る。シリア政権は、二〇三〇年以前に崩壊する恐れがある。シリア政権が崩壊すれば、イラン政権は強化され、レバノンで内戦が起き、パレスチナはイスラエルを追い出そうとする。そうなれば、イスラエルは、アパルトヘイト時代の南アフリカ共和国のような国になるか、パレスチナによる核攻撃を受けるかである。

イラクは、トルコ、ロシア、アメリカ、クルド、イランが衝突する場になる。それらの国の間でイラクをめぐる利権の分配が不調に終わると、戦争になるかもしれない。

次に、サウジアラビア発の危機について語る。イスラーム原理主義者たちがサウジアラビアの政権を握れば、オイル・マネーはテロリストを支援するために利用される。世界の原油価格は急騰するだろう。そうなれば、西側諸国は大きな危機を迎え、世界大戦が勃発する。

最後に、エジプトの政権がイスラーム原理主義あるいは軍部の手中に落ちると、この地域で新たな戦争が起きる。また、エジプトは水不足のために行動を起こすかもしれない。ナイル川の水源の一部はエチオピアにあり、この河川の一部はスーダンを通過する。エジプトはナイル川だけから水を賄う。エジプトは、エチオピアがこの河川の上流にダムを建設する計画に異議を唱えたように、ナイル川の水をめぐって武力行使に出るかもしれない。すでに一九七九年の時点でエジプトのサダト元大統領は、「エジプトを再び戦争に導く唯一の要因は水だ」と述べている。

5. サヘル地域とアフリカの角〔ソマリア全域とエチオピアの一部〕における危機

二〇三〇年、サヘル地域の国々とアフリカの九つの破綻国家（アフリカの角、アフリカ大湖地域、マリ、ニジェール）の混乱は先ほど述べた。それらの混乱は世界中に影響をおよぼす。コートジボワールからケニア、そしてニジェールからエチオピアと、アフリカ全土でテロ組織の活動が活発化する。

また、北アフリカとヨーロッパに向かう移民が大量に発生する。それらの地域から数千万人が移民となるのだ。一部の先進国は、自分たちの領土に足を踏み入れさせないために彼ら難民を射殺する。そうなれば、新たな種類の戦争が勃発する。

6. イスラーム国

イスラーム国の戦略は、自分たちの影響力を拡大するために、一度は占領したが失ったイラクとシリアの領土の一部を、おもに非組織的な戦闘員を使って再び占領することと同時に、民主主義を動揺させ、民主主義国家が外国人を締め出すように仕向けることだ。彼らの目的はイスラーム教徒と非イスラーム教徒を敵対させることであり、またヨーロッパとアメリカで深刻な内戦が勃発する環境をつくり出すことだ。イスラーム国は自分たちの目的を達成するために、恐怖、威嚇、徴兵、勧誘、改宗、服従、暴力など、あらゆる手段を用いる。イスラーム国が内戦を起こそうとして疲弊するまでの間、西洋とイスラームの全面戦争の環境がつくり出される。

異常事態

人類を全滅させる大惨事は他にもたくさんある。それらは二〇三〇年以前に明らかになるだろう。たとえば、数十億人の人々が水不足に襲われる、大勢の人々が命を落とすまで治療法のわからない新型ウイルスが発生する、地球温暖化が予想を上回る速度で進行する、遺伝子工学の実験室で取り返しのつかない失敗が起きる、人工知能が人類を消滅させる決定を下す、狂った武器商人が（政府あるいは民間の）顧客に掘り出し物の兵器を使うようにそそのかすなどだ。二〇三〇年までにこれらの異常事態のいくつかが起きるかもしれない。そうなれば二〇世紀に二度起きた世界大戦が再び勃発する恐れがある。

そのような戦争は、核兵器、生物兵器、化学兵器など、利用できるものなら何でも利用する。よって、アメリカ、中国、インド、日本、アフリカで数億人の死者が出るだろう。とくにヨーロッパでは、一〇〇〇年前からつくり上げられた人類の遺産が破壊される。

今日、起きているあらゆることが、世界をこうした危機に導いているのは明らかだ。危機が迫っていると自覚することが絶対に必要だ。そうした自覚こそが、危機を回避するための唯一の方法なのだ。

第四章
明るい未来

われわれは、社会に渦巻く憤懣を激怒に移行させないように行動できるのか。世界が最悪に向けて漂流することを避けられるのか。人類はまだ自分たちの未来を制御できるのか。自分たちは歴史の単なる傍観者ではなく、自ら行動を起こせるのか。

われわれは少なくとも歴史を理解し、そこから本質をつかみ取り、未来の行方を予測し、自分たちを待ち受ける衝撃を予見できるのか。きわめて複雑かつ矛盾に満ちた情報の洪水を統括できるのか。

現在でも、善は悪を必ず打ち負かすと信じられるのか。人類が全滅するという仮説を退けられるのか。人類は理性を発揮してモノにならない決断を下せるのか。叡智を活かして自滅を避けられるのか。自分たちの激しい怒りから最善を引き出すことができるのか。自分たちの野蛮な精神に打ち勝てるのか。科学を利用する自殺行為に走りたいという誘惑に抵抗できるのか。行動を起こすことはできるのか。夢遊病状態から覚醒できるのか。最悪の事態は回避できるのだと、あきらめきった人々に理解してもらえるのか。狂った世の中であっても、全員がまだ快適に暮らせるのか。「自分自身になる」という願いはまだ実現可能なのか。

これまでに述べたことから判断すると、これらすべての問いに対する答えは否定的だ。最悪の事態が起きる可能性はきわめて高い。その場合、二〇三〇年までに大きな危機や壊滅的な戦争が起きる。そして世界的な危機や戦争は、人類に不可逆的な被害をもたらす。

否定的な理由は、地球規模の複合的な課題を自覚している人々の数がきわめて少ないからだ。また、それらの課題を理解したところで、今日、全世界に作用する巨大な力をねじ曲げられるとは思えないからだ。そうした力がどのような作用をもたらすかは、先ほど述べた通りである。

こうした状況を叙述する、最悪の事態を告げる暗喩には事欠かない。大昔、賢者たちは似たような悲劇に直面した。彼らは危機が迫っていることを周囲の人々に説得できないと観念し、嵐に遭遇している船を大海で修理することは不可能だと、苦渋に満ちた声で語った。実際に、賢者たちがそのように語った社会は、彼らが予測した岩礁に当たって完全に砕け散り、歴史の舞台から消えた。今日においても、陰鬱なことを予言する者たちは同じ苦渋を味わい、われわれの世界を待ち受ける不吉な行方に憤慨している。現代的な暗喩なら、それはパイロットのいない飛行機、あるいは操縦室のない飛行機とさえ表現できるかもしれない。

事実、予測できたとしても、大惨事は必ずしも回避できない。たとえば、今日生ある者はいつか必ず死ぬ。死を避けることはできないのだ。また、異議を唱えようとも、いつか必ず東京やロサンゼルスには大地震が発生する。あるいは、いつの日か太陽は地球を照らすのをやめる。もちろん、事情はそれぞれきわめて異なる。われわれは、危険な地域から避難することはできるが、太陽系からはまだ脱出できないし、自身の死から逃れることもできない。いずれにせよ、今日の世界の課題について、全員のための解決策でなく、一部の人々だけの逃げ道を見つけようとしても無駄である。

滅亡寸前の人類にできるのは、残された短い時間をせいぜい楽しく過ごすことだけなのか。われわれは何かを模索するのではなく、最後の瞬間が訪れるまで刹那的に生きるのか。自分たちの祖先が味わった野蛮さをよみがえらせるつもりなのか。次世代に配慮しようとしないのか。われわれは世界の自滅を甘受すべきなのか。

私はそうは思わない。

未来は過去の野蛮さをよみがえらせる場ではない。そして誰もがこの世界で生き生きと過ごせるようになると、われわれは期待すべきなのだ。

そのためには、われわれにとって他者の幸福は、他者の悲しみよりも有用であることを理解しなければならない。そして、民主主義が機能するのは国内だけであるため、民主主義はまもなく幻想になると覚悟しておく必要がある。そして民主主義と市場は近視眼的な要求によって逸脱するかもしれないと心得ておくべきだ。

次に、自分たちの憤懣を怒りではなく、利他主義へと誘導するのだ。そして、協力は競争よりも価値があり、人類は一つであることを理解すべきだ。そうした認識があれば、人類の倫理と政治組織を高度な次元に移行すべきだという自覚が、われわれの中に芽生えてくるだろう。

時間はほとんど残されていない。世界の破壊は進行中だ。すでに秒読みが始まっている。もちろん、人々のメンタリティと組織を変革するのは、ほぼ不可能に思える。さらには、残された短い時間で行なわなければならないのだから、それはなおさら不可能に感じられる。惨事が不可避になる前に行動を起こすのは、きわめて難しいだろう。

それでもこの難題に取り組まなければならないのだ。憤懣を制御するのであって、抗議したり、不満を述べたり、他者より少しでも長く生き延びようとしたりするのではない。嵐に遭遇したこの船を修理するのだ。飛行中のこの航空機に操縦室をつくるのだ。

ようするに、それは当時絶大な権力をもっていたイギリス人入植者との独立戦争の最中に、アメリカ憲法の起草者たちが成し遂げたことであり、まだ栄華を誇っていた絶対王政期に、人権宣言を執筆したフランス人たちが行なったことであり、野蛮な独裁者との戦争の行方がまだ不透明だった時期に、国連憲章を考案した西側諸国の人たちがやり遂げたことである。彼ら全員は、抵抗して自分自身であり続けようとしながら、次世代の理想のために自身の命をなげうつ覚悟で取り組んだのである。

われわれはまたしてもそうした局面に立つ。今度は、地球全体での人類のサバイバルに関することだ。よって、非常に困難であっても、われわれは最悪の事態を避けるためになすべきことを模索しなければならないのである。

そのためには、楽観的であっても、悲観的であっても、あきらめても、ナイーブであってもいけない。熱意をもって取り組むのだ。それも大いなる熱意だ。それは武器を手にして破壊するためではなく、今の世界を拒絶するためだ。そしてこの世界が予測通りに推移するのなら、そのような未来を拒絶するためだ。次に、冷静になり、歴史の流れを変えるテコになる活動を突き止め、誰もが自由で情熱をもって過ごせる世の中に変革するのだ。この闘いに用いる手段は、大掛かりで圧倒的でなければならない。そして世界を相手にする前に、自分自身に働きかけながら活動するのである。

自分自身に働きかける

集団の活動に大きな変化が必要な際には、すべては必ず個人が変わることから始まる。個人の内面が変わらなければならないのだ。自分自身に働きかけるとは、世界がまだ暮らせる場所であるようにするために、世界に働きかける心構えをもつことである。このようにして、自身自身に働きかけることと自体が、世界に対して行動を起こすことだと気づくはずだ。

惨事の合間に、俗物的な野心から生じる自己愛の実現に、私的でちっぽけな幸福を探し出すだけで満足するのなら、われわれは滅亡するだろう。あるいは、俗っぽい喜びや安っぽい自己実現の蓄積に幸福を見つけ出そうとしても、われわれは滅亡するだろう。そして自分自身や他者に対して真摯に生きない場合も、結果は同じだろう。

われわれは、現在から感じとれる怒りを克服しなければならない。そして自分たちに多くのことを要求するが自分たちを解放してくれる、思いやりがあって利他的な倫理を新たに打ち立てなければならない。そうした倫理は、われわれや次世代の人生に意義を与えてくれる。そうなれば、次世代の人々も彼らの人生を彼ら自身で選択できるようになる。

必ずと断言してもよいが、すべては死との関係から始まる。われわれは強迫観念に取り憑かれたように死を断固として拒否する。なぜなら、生きていることはすばらしく、そうでなくても、すばらしいものになる可能性があるからだ。われわれは自分自身の生命に最大限の意義を与えて死を拒否する。だが例外がある。きわめて大切な価値観が危機にさらされている場合だ。すなわち、それは次世代の暮らしに関する価値観である。われわれはこれまでにもそうしてきた。たとえば、野蛮なナチズムに直面したとき、次世代の利益のために、何にもまして自由と民主主義という価値観を、身を挺して守ってきたではないか。

同様に今日、人類の存在自体が危機に陥るという問題が、自然に解決されるとは思えない。われわれは、現代を席巻する利己主義、貪欲さ、野蛮さなどに代わる、利他主義、共感力、優雅さの倫理を次世代の利益に活かすために、死ぬ瞬間まで必死になって闘わなければならないのだ。

「自分自身ができる限り高貴な生活を送りながら世界を救う」

この奇妙な文句は、自己と他者の利益の見事な一致であり、いかなる時代であっても、どれほど大きな危機に直面しても、適用可能な革新的な寸言である。

言い換えると、われわれは「快適な時間」を過ごす手段を自身に与えると同時に、他者もそうした時間を過ごせるように手助けしながら、幸せで持続的な世界をつくり出すことができるのだ。

ここに、偉大な哲学者の教えがある。彼ら哲学者は、宗教家であろうが世俗主義者であろうが、幸福のカギは他者への愛がすべてだと説く。最近では神経科学者も同じようなことを述べている。そしてそれは「積極的な経済」の主体者が実行することでもある。すなわち、彼らは次世代のために毅然と行動する人々なのである。

そのためには、われわれは利用できる短い期間に迅速に行動し、自分自身および他者にとってのパラダイム・チェンジを早急に実現しなければならない。そして確固たる憤慨の精神をもつ必要がある。それは怒りに任せてわれを忘れるためではなく、利他主義を広めるためにきわめて理性的かつ明敏になるためだ。

怒るのは、建設的になるため、愛するため、そしてこれまでのやり方に再考を促す勇気をもつためである。

そうした境地にいたるには、自分の直感、自身が受けた教育、読書、出会い、さらには本書で述べた悲惨な状況から湧き上がってくるに違いない自覚だけで充分な人もいるだろう。

それらの方法以外にも（そして直感に従って行動に移す人々にとっては）、熟考する過程で鍛錬される強固な価値観を身につけながら、持続的な活動に従事するのも有効だろう。

こうした自覚を成就させるために、私は次に掲げる一〇の段階を、順を追ってたどるという、論理的に明確な精神的道筋を歩むことをお勧めする。

それらを読む前に、そしてそれらを実行に移す前に、ほんの少し休息を取り、瞑想し、自己に回帰する必要がある。それは自身の憤慨を感じ、これを制御・誘導するためである。したがって、そのためには、物事と距離を置くことや瞑想することを学び、自身の内面に注意し、自己の気まぐれに惑わされることなく己の感情を制御し、自分自身をコントロールすることを会得しなければならない。

そのようにすれば、この道筋を歩み始めることができる。それらの各段階はきわめて重要であり、各段階は、自分の人生に与えられた意義と根本的なかかわりをもつ。そして既存の生き方を変え、他者に微笑むのだ。それらの段階を自分のものにするには、各段階を深く理解しなければならない。自己、そしてこれから紹介するように、世界のために役立つ持続的な活動をするための貴重な機会を摑もうとするのなら、それらの段階が何としても必要なのだ。

それではその一〇段階を紹介する。

1. 自分の死は不可避だと自覚せよ

誰もが考えたくないことを心にとめておく必要がある。すなわち、誰もが遅かれ早かれいつの日かこの世を去る。自己ならびに自分の身の回りの人々はいつ死んでもおかしくない。自分が死ぬ瞬間を想像するのは難しいかもしれない。わが子の死を心中で思い描くのはさらに難しいだろう。しかしながら、こうした考察から始めなければならないのだ。

古今東西の文明は、すでに述べたように、すべては死に意義を与えることから始まった。今後、死の意義は、仕方のないものとしてあきらめることでも、あの世にすべてを期待することでもなくなる。そうではなく、次に掲げる事柄を自覚することになる。すなわち、自分は唯一無二の存在である、この世は諸行無常である、自分の人生をよりよくするのは大切なことである、今現在を最期だと思って生きる、堕落、侮辱、束縛、疎外などに対して、健全な怒りをぶつける、誰もが暮らしやすい世の中になるための最良の道筋を残しておくために全力を尽くす、などである。

これらを自覚できるのなら、病気などの苦難に遭遇しても平静さを失うことはない。マネーや権力など俗物的な野心に対しても無関心でいられる。関心があったとしても、それらを自分自身のためでなく、別の目的に利用できる。

そのように考えることができれば、死を恐れる必要はない。時間が始まったときから、この世は自分がいなくても存在し続けてきたのだ。そして条件が整えば、誰もが他者の感謝の念の中で存在し続けることができる。

2. 自己を尊重しろ、自分自身のことを真剣に考えろ

この世において各自にあてがわれた時間は非常に短い。だからこそ、その時間を最大限有効に利用しなければならないのだ。だが、それは娯楽に興じるな、休息を一切取るな、という意味ではない。そうではなく、心身ともに健やかでありながら充実した人生を送る手段を身につけるのである。意義のないことや、凡庸なことはすべきではない。

そしてそのためには、非常に高度な野心が必要であり、自分でなくてもできるようなことは、仕事でもプライベートでもなすべきではない。なぜなら、すべての人生はその本質において唯一無二であり、その成就においても同様だからだ。

そしてそれは可能なのだ。というのは、誰にでも何らかのすばらしい天賦の才能が備わっているからだ。われわれはそうした才能を発掘して有効に活かすべきなのだ。自分およ

び他者の天賦の才能を見つけることは、充実した人生を過ごす最大の条件の一つでもある。

3. 変わらない自分を見つけろ

多様な生き方が可能であり、またそうした生き方が望ましい。だが、誰もが何よりも大切にすべき不変的な価値観をもつ。それは祖先から受け継いだものや、自己の価値観の寄せ集めからなる。不変的な価値観は、宗教的なもの、世俗的なもの、市民としての信条、政治的信念などからつくられ、どのような状況においても変わることがない。それは倫理とも定義でき、自己の自由の行使を制限し、人類全体、あるいはまた自分の家族や身近な人たちだけに適用される。

不変的な価値観により、自分自身であることに安らぎを感じる精神的な枠組みが形成される。そうした価値観のおかげで、われわれは行動を起こすことによって、あるいは傍観することによって、自分自身を裏切るということをしなくなる。

不変的な価値観を自己の奥底に見出し、それらを明らかにし、自分がそれらに固執する理由を他者にわかってもらうことは、きわめて重要だ。

それらをうまく探し出し、明らかにできるのなら、自分の命を賭けてでも守るべき課題も浮かび上がってくる。今日、われわれの価値観を破壊するために死ぬ覚悟の者たちがいる。だからこそ、自分自身に対し、己の課題を明らかにすべきなのだ。

4. 他者が行なおうとすること、そして世界の行方について、絶えず熟考しながら自分自身の意見をまとめろ

その前提として、先入観なく、好奇心旺盛にして注意深くなければならない。そしてこれまで本書が行なったように、世界をさまざまな側面から絶えず分析するのだ。

そのためには、共感力（つまり、偏見にとらわれず、他者の利益を考慮しながら彼らの立場に立つ能力）は必要不可欠だ。共感力とは、たとえ他者の行動が利己的、不誠実、敵対的だと思えても、彼らの価値観、不変的なもの、探求しているものを見出し、なぜ彼らがそのように行動するのかを理解しようとすることだ。

共感力が得られたのなら、世界は最悪に向かっていることを意識するのだ。今後の出来事に対し、甘受するのではなく健全に怒るのだ。この憤懣を行動の原動力にするのである。それは建設的であるためであり、自分自身を救うためだ。そして自己と他者の関係を理解するためでもある。

5. 自分の幸福は他者の幸福に依存していることを自覚せよ

自分と世界は相互依存していることを自覚するのだ。そこで、次のことを理解すべきである。自分が不幸になる原因は、ほとんどの場合、他者の不幸に対するわれわれの無分別やあきらめからである。他者を喜ばせることができないのなら、あるいは他者の役に立てないのなら、それは自身の成功とは程遠い。そしてとくに、次世代に対して利他的になることは自分自身の利益なのだ。

消費者、労働者、市民として、寛容であることは自身の利益であると理解できるようになってこそ、他者の存在や、他者と分かち合うことに寛容になれる。こうしてわれわれは、他者、とくに次世代を助けることは、自分たちの大きな特権であると同時に、自分たちの利益になると強く感じるようになる。

そのような自覚があってこそ、自由という理想から利他主義という理想への本格的な転換が始まる。こうしてこそ、憤懣から激怒への逸脱が避けられる。

そしてこの転換こそが、人類のサバイバルのカギである。利他主義が押しつけられるのではこの転換は生じない。誰もが利他主義を理性的かつ情熱的に熱望し、利他主義が人々の心の奥底に根づかなければならない。それはこれまでの五つの段階の結論である。

6. 複数の人生を同時かつ継続的に送る準備をせよ

われわれは死すべき存在であり、あの世の暮らしのことはわからない。また、いつの日かこの世で輪廻転生するかどうかも定かでない。野心と勇気をもって堂々と大胆に、複数の生涯プロジェクトをすぐにでも構想するのだ。それらのプロジェクトはできる限り、独創的かつ誠実なものであることが望ましい。このようにして、複数の職業的なプロジェクトと個人的な成就のためのプロジェクトを、同時かつ継続的に準備するのだ。その目的は、自己実現のさまざまな形式を絶えず発見するためであり、自己開花の道筋で絶えず新たな人々と出会うためである。

われわれは自分たちが「他者が自分自身になる」のを手助けするからこそ、己の人生および自身の生涯プロジェクトを成就できるのだ。

一般的に、個人的な開花が誠実で隠し事もなく相互依存の状態で行なわれる際には、「どちらかを選ぶ」よりも「あれもこれも行なう」ほうが望ましい。さらに、こうした試みは老化と死を遠ざけるのにきわめて効果的だ。というのは、われわれは自分たちが取り組むプロジェクトに見合う年齢にしかならないからだ。

7. 危機、脅威、落胆、批判、失敗に対する抵抗力をつけろ

それらに対する抵抗力を身につければ、レジリエンス〔へこたれない精神〕と勇気が得られる。他者に責任を押しつけることなく、自身の失敗から教訓を導き出すことができるのだ。屈辱、不満、疎外に対する憤懣を決して忘れてはならない。

他者が自由に下す判断なら、たとえそれが自分と彼らを決別させることになるとしても尊重すべきだ。たとえその判断が自身の利益に反するとしても、他者の人生の選択や意見は尊重されるべきだ。悲しみであっても、利他主義と両立する場合もあるのだ。

悲嘆や悲しみを抱えながらサバイバルする術を学ぶのである。とくに、自然災害、事故、テロ事件のサバイバーは、罪悪感を覚えてはいけない。仕事上の失敗や私生活の破綻について自責の念に駆られてはいけない。常に本質に向かって歩むのだ。すなわち、自分自身になるのである。

8. 不可能なことはないと思え

思いもよらないことを望め。ありそうもないことを考えろ。待つのではなく行動するのだ。どんなプロジェクトであっても、自分の取り組むプロジェクトが実現不可能だと認めるべきではない（ただし、科学的に反論できない場合や、道徳的に正当化できない場合は除く）。

他者が実現不可能と考える二つのプロジェクトがあるとき、一方が他方を実現可能にすることがしばしばあることを指摘しておこう。

自己の（複数の）プロジェクトを実現するために必要な場合に限り、適宜に変身するのだ。そのための準備を整えておく必要がある。

9. 実行に移す

これまでの八つの段階をマスターしたなら、自分自身で、自己のために、自分にとって意義のある（複数の）プロジェクトを、理性を働かせ、他者の意見に耳を傾け、謙虚な姿勢で実行に移すのだ。

プロジェクトはできる限り、具体的、野心的、現実的でなければならない。プロジェクトは、たとえ自身のきわめて利己的な目的のためであったとしても、当然ながら先ほど述べたすべてのことを考慮に入れる、できる限り利他的なものでなければならない。なぜなら、たとえ他者を喜ばせて自我を満足させるためであったとしても、利他的でなければ自分自身にはなれないからだ。とくに、次世代のために役立つプロジェクトは、次世代に対してもこれらの段階を克服すべきだということを教える。つまり、誠実で利他的であることだ。

プロジェクトを実行する際は、もし事実によって誤っているとわかったのなら、その内容を再検討する謙虚さが必要だ。

プロジェクトの燃料は憤懣であり、プロジェクトのエンジンは心と身体である。

10. 最後に、世界のためにも行動する準備をせよ

本書の分析に触れた結果、「あきらめた評論家」のような投げやりな態度になってはいけない。そのような人々は、自分たちのことを、現実を眺める無力な傍観者だと決めつけ、世界の現状を批判するだけで満足し、自分自身になろうとしないし、世界を改善しようと

もしない。

世界が地獄に向かって転がり落ちるのなら、いかなる私的プロジェクトも実現できない。したがって、あらゆる手段を動員して世界を救うために行動するのだ。

そのためには、それを職業にしたり、そこから利益や名誉を得たり、政治運動などの活動に取り組んだりする必要はない。だが、政治を他者に任せっきりにしてはいけない。

世界の現状を深く理解し、世界を変革する必要性を痛感したのなら、あとは行動するだけだ。世界は、このようにして蒔かれたさまざまな種によって変化するのだ。

無数の「自分自身になる」が統合すれば、世界は変わる。なぜなら、彼らは当然ながら利他主義者だからだ。この統合は「歴史」の流れを変える世界的な計画をもつくり出し、それは実行に移されるはずだ。種が蒔かれたのなら、灌漑を計画するのだ。

こうしたことを理解する人たちはあっという間に増えた。希望の輝きである彼らは、世界に関する分析を行なった。自分自身になる選択をした彼らは、自分たちの目的は利他主義を通じて達成できると悟ったのである。

彼らの職業は、教師、医師、農民、企業の幹部、看護師、起業家、労働者、学生など、実にさまざまだ。彼らは、これまで本書で語ったこと、そしてそこから生じる唯一の疑問を絶えず自問しながら、世界をこれまでとは別の角度から眺める。すなわち、「自分は世界の幸福のために何ができるのか」である。一般的に、彼らは謙虚に自分たちの幸福を見つけ出し、光り輝く。彼らの活動は自分の姿を見つめることから始まる。資本主義が封建社会を吹き飛ばしたように、彼らの活動は旧体制を一変させる。すなわち、すばらしい世界が訪れるのだ。

世界のために行動を起こす

世界を変革するために行動を起こそうとしても無駄に終わると思うかもしれない。たしかに、意を決した大勢の利他主義者たちが一致団結しなければならない。そして、彼らの代表者たちが本書で分析した現在および未来に関する状況を自覚し、野心的で調和のとれた一貫性のある計画を適用するように働きかけなければ、世界を変える行動は効果を発揮しないだろう。また、世間の人々は、そうした計画を不条理で非論理的だと思うかもしれない。

しかしながら、すでに語ったように、そうした計画は人類のサバイバルそのもの、つまり、生命の多様性を保護するために必要不可欠なのだ。そしてそれは各自の私的プロジェクトを実行に移すための条件でもあるのだ。

これまで述べたように、そうした計画は地球規模の法の支配を基盤にしなければならない。

それは非常に壮大な計画であるため、まったくの幻想だと思われるかもしれない。そうはいっても、すでに多くの人々がこうした法律およびこれを施行するために必要な国際機関について考えをめぐらせている。国際機関は、国の自由を奪うだけで、各国固有の文化を否定するアイデンティティのない世界政府主義だという批判をよく耳にする。つまり、国際機関は何の役にも立たないという糾弾である。だが前述のように、国のサバイバルも地球規模の法の支配によってのみ可能なのだ。

そしてもし大勢の人々が前述の一〇段階をマスターし、人間性の喪失から解放されるのなら、至極当然のこととして、彼らはすばらしい世界をつくるための抜本的な改革に貢献するだろう。

地球規模の法の支配が確立されたのなら、早急になすべきことが明確になったのなら、相互依存を強める世界は自滅する過程にあるとわかったのなら、誰もが他者の幸福に利益を見出せるということに納得できたのなら、そしてわれわれは行動を起こせる最後の瞬間に生きているのだと自覚できたのなら、われわれは自分たちの憤懣を行動に導けるはずだ。誰もが、活動する、闘う、討論する、熟考する、具体的で論理的かつ実証的な分析に基づく計画を検討するなど、自己の「自分自身になる」をわがものにすることができる。この計画を新たなデータや発見によって絶えず更新するのである。

この計画により、あらゆる局面において合理的な利他主義を実践するための具体的な条件が整う。そのためには、社会制度を改革しなければならない。

社会制度の改革は、一日で実現するような生易しいものではない。実現しないことさえ考えられる。

実際には、それは乱気流に巻き込まれた航空機に操縦室をつくるようなものだ。そのためには、まず機内の乗客たちに操縦室をつくる必要性を理解してもらわなければならない。それは各自が自覚をもつことであり、一致団結して行動することを意味する。

より具体的にいえば、世界を動かすいかなる機関も地球規模の法の支配の施行に興味を示さないときに、改革を実現するということだ。

この計画を実現させるには、おそらく五〇年はかかるだろう。それは世界的な大紛争の後、あるいはその反省からかもしれない。そこで、この計画を一〇個の提案にまとめてみた。

提案の順番は重要度とは関係がない。きわめて当然ながら、この提案の内容は、各自が利他主義者として「自分自身になる」ことだ。人々の代表はこの提案を政治的に解釈し、外交によってこれを交渉する。この提案は個人の「自分自身になる」という考察から程遠いと思われるかもしれない。しかし、これまでに述べたように、それは「自分自身になる」ことを実現するための条件なのである。

1. 学校や法律の教科書など、いたるところに、利他主義、寛容な精神、誠実さを養うための学習を取り入れろ。

2. 国連総会のもとに、次の三つの機関を設立せよ。

一つめは、世界の現実を把握するために組織改革された安全保障理事会だ。

二つめは、世界中の三〇歳未満の若者をメンバーとする次世代議会だ。この議会では、国際的な決定が将来世代におよぼす影響に関する彼らの意見をまとめる。彼らは、政府および民間の機関が作成する世界の予測や統計データを利用できるものとする。安全保障理事会は、彼らの意見について討議しなければならない。

三つめは、世界環境裁判所だ。この裁判所は、人類の存在意義に関する現世代の普遍的な責任を規定する国際条約の条項を精査する。

3．世界的な紛争が勃発するリスクと闘え。

それには次のことが求められる。

第一に、軍拡競争に歯止めをかける。その際、既存の協定が守られているかを常時監視し、とくに報復軍事テクノロジーの利用を管理し、状況に応じて新たな条約を締結する。

発火する恐れがあるのなら、どこであっても消火活動にあたれ。ヨーロッパ安全保障協力機構（ＯＳＣＥ）のような責務を担う機関を徹底的に強化するのだ。次の衝突が起こりそうな地域である南・東シナ海には、このような機関の設立が早急に必要だ。

権力にうぬぼれ、紛争をけしかける機関の権力を削減すること。この観点を踏まえると、北大西洋条約機構（ＮＡＴＯ）は存在意義を失った。世界的な法を遵守させる警察的な存在がＮＡＴＯの代わりを担うべきだろう。

4. 法の支配と暴力を抑制する合法的な手段を強化せよ。とくに、女性や子供に対する暴力を撲滅するのだ。

そのためには、次のことが求められる。

地球ならびに人々の安全と保護を確約する文書や条約をまとめ上げると同時に、既存の国際法ならびに利他主義の育成を説く古文書を尊重させる。こうした使命をもつ組織だけでなく、国際刑事警察機構（インターポール）や金融犯罪捜査局（TRACFIN）など、国際犯罪を取り締まる機関の活動を支援する。

人道に反する罪を犯した指導者、あるいはそうした罪を黙認した指導者については、国際刑事裁判所に起訴して裁きにかける。

5. 世界経済の連携を組織せよ。

そのためには、「先進国に新興国を加えた主要二〇ヵ国（G20）」の現在の権限を、改革された国連安全保障理事会に譲渡し、この理事会に常任理事のポストを設け、その信頼できる人物に既存の国際金融機関の監督および調整のための手段を付与する。

6. 世界通貨を導入せよ。

この通貨は、ビットコインに似せてブロックチェーンを基盤にする。導入の目的は、すべての人に万国共通のベーシックインカムを保障するためだ。この通貨は既存の通貨を補完し、ベーシックインカムの支給は、国際通貨基金（ＩＭＦ）が管理する。この電子マネーによる生活保障の対象は個人のみとする。バブル発生のリスクを避けるため、中央銀行がこの通貨の供給量を一元管理する。

7. 小規模農家の農地を守るために、農地に関する所有権を世界的に強化せよ。

8. 積極的な経済を推進するための世界的な基金を創設せよ。

その目的は、利他主義に基づく活動、とくに次世代に役立つ活動を応援することだ。そしてとくに、主要な伝染病に対する世界的な予防策を講じ、有機農業、リサイクル、再生可能エネルギーの分野におけるイノベーションを促すのだ。

9. 新たな技術進歩を世界中の人々が利用できるように支援せよ。

飲料水、医療サービス、エネルギー、住居、教育、情報などの技術進歩を、誰もが利用できるようにするのだ。

10. 最後に、今までに述べたことに対する取り組みの進行状況を、企業、都市、地域、国、世界という単位で、客観的な指標を用いて計測せよ。

というのは、計測や管理されることがなければ、誰も真剣に取り組まないからだ。

読者は、こうした計画をまったくのユートピアだと一笑に付すかもしれない。たしかに、その通りだ。世界では、さまざまな無秩序な勢力が跋扈しているのに、世界全体でこうした計画を実行に移すなど、想像できないと思うかもしれない。

実際に至極当然ながら、このような考えは政治家たちの計画には見当たらない。政治家たちは世界中どこでも一九世紀の思考様式でしか物事を考えられない。

そうはいっても、大惨事を回避するには、これを実行するしかないのだ。それは人類が乗る航空機に操縦室をつくる唯一の方法なのである。

これを実行するのは幻想ではない。積極的経済をはじめとして、すべてはすでに始まっている。この経済には、次世代の利益のために働くあらゆる人々が集結している。彼らは自分たちが他者にもたらす幸福に己の幸せを見出す。飽くなき富の蓄積や他者の生活の破壊でなく、微笑や共有に意義を感じる。すべては無数の「自分自身になる」という過程で現われる。必然的に利他主義に基づくそれらの過程は、いたるところで開花する。

その最も説得力のある証拠として、これら一〇個のどの課題についても、世界規模で精力的に活動する非政府組織（NGO）が、少なくとも一つは存在することが挙げられる。したがって、この計画を達成できると考えるのは非論理的ではないのだ。

このサバイバル計画において、フランスが自分たちの役割を担うために実行すべき一〇の提案を掲げる。それら一〇の提案は、きわめて当然ながら「自分自身になる」という各自の欲求と、そのために必要な手段から生じる。

1. 自分自身になる各自の手段を強化せよ。すべての地区の保育所と小学校の整備率を上昇させろ。それは脱宗教の国であるフランス共和国への社会統合を成功に導く最短距離である。

2. 教育システムを改革せよ。技術、知識、哲学、倫理などの教育を、誰もが生涯を通じて学べるようにするのだ。一人の落伍者も放置してはいけない。したがって、失業者には職業訓練を施し、ホームレスの人には社会復帰の機会を提供するのだ。

3. 職業人としての最終条件を均等化せよ。退職後の第二の人生を、教えることをはじめとする他者のための活動に費やせるようにするのだ。

4. 利他的に行動するための手段を大幅に強化せよ。国民全員が、NGO、団体、組合、政党に参加するための時間と手段を自由に使えるようにするのだ。

5. 世界のための計画をフランスの外交方針にせよ。

6. とくに、EUを合理的利他主義のモデルにするのだ。そのためには、国境および国内の警備、共通の防衛、ヨーロッパのベーシックインカム、共通の社会政策などを施行することによって、ヨーロッパ法を補完するのだ。そしてフランス語圏を強化せよ。フランス語圏に法の支配を根づかせ、フランス語圏の利益になる利他的な活動を支援するのだ。とくに、サヘル地域の国々における秩序を修復するための活動を援助すべきだ。これらの国々がもたらす、そして蒙る危機がいかに危険であるかは前述の通りだ。

7. 長期的な視野に再び意義を見出せ。フランス大統領の任期は七年の一期のみとし〔現状は、一期五年で連続二期まで〕、抽選で選ばれる三〇歳未満の若者がメンバーになる次世代議会を創設するのだ。

8. 健康管理を最優先の課題にせよ。社会保障体制を充実させるだけでなく、学校や職場において正しい食生活やスポーツに関する啓発活動を実施するのだ。とくに土壌を守り、大気汚染を解消せよ。

9. 軍隊、司法、警察に国民全員の安全を守るための手段を付与せよ。一方、就労年齢にある国民は、それらの機関に一時的に奉仕するものとする。

10. 次世代の負担にならないようにするために、公的債務を大幅に削減せよ。

読者は、これらのことを実現不可能だと思うかもしれない。いずれにせよ、それは政治ゲームに興じる政治家たちの懸念からはかけ離れている。彼らの活動は、瀕死の民主主義の当事者たちが演じる冴えない喜劇にすぎない。

われわれは、瀕死の民主主義をサバイバルさせるためにこれらすべてを行なうのだ。それは可能である。今日、多くの人がそう叫んでいる。まもなく誰も自分はそんなことは知らなかったと言い逃れできなくなる。もうこれ以上の言葉は必要ないだろう。とにかく、私はすべてを語った。

謝辞

本書の原稿を丹念に読み、私と本書の内容について討論し、本書の註や統計を点検してくれた、ベサベ・アタリ、アクセル＝オリアンヌ・ガルニエ、ロリーヌ・モロー、ジェレミー・アタリ、エリオ・バラーニュ＝ビゴ、ルイ・カマラータ、バスチャン・カーニエル、フローリアン・ドーティル、クレモン・ラミー、エニス・マンスールに感謝申し上げる。

本書を推敲する際にタイプ打ちを手伝ってくれたマリー＝ジョ・ディニスに感謝申し上げる。

ソフィー・デ・クロセッツ、ディアンヌ・フェイエール、マリー＝ロール・デフレタン、そしてダヴィッド・ストレペンヌをはじめとするファイアール社の皆様に感謝申し上げる。

本書に間違いがあるとすれば、それは私の責任だ。読者からコメントを受けとることは、私にとってこの上もない喜びだ（j@attali.com）。

訳者あとがき

本書はフランスで出版されたJacques Attali, Vivement après-demain (Fayrad,2016) の全訳である。タイトルを直訳すると、「明後日を生き生きと」である。本書の意味する明後日は二〇三〇年だ。本書は、執筆時の世界状況を分析し、そこから見えてくる一五年後の二〇三〇年の世界像を複眼的に予測し、最悪を避け、最善を目指すための道筋を克明に述べている。

アタリの略歴を紹介する。一九四三年アルジェリア生まれでフランスのエリート校である国立行政学院（ＥＮＡ）を卒業した。一九八一年にフランス大統領特別顧問、一九九一年に欧州復興開発銀行初代総裁を歴任した。一九九八年には非政府組織「プラネット・ファイナンス」を創設し、現在も途上国支援に尽力している。二〇〇七年にはサルコジ大統領の諮問委員会「アタリ政策委員会」の委員長になり、また二〇一五年にはオランド大統領に対して政策提言を行なった。最近では、先述の「アタリ政策委員会」の委員にエマニュエル・マクロンを抜擢して政界にデビューさせ、二〇一七年五月には政治基盤のないマクロンをフランス大統領にまで押し上げる役割を果たした。アタリは現在でも、政治、経済、文化に対して大きな影響力をもつ。

本書は、イギリスの作家ジョージ・オーウェルが一九四九年に出版した小説『一九八四年』を想起させる。近未来像を描くこの小説は全体主義の危険性に警鐘を鳴らす一方、アタリは自己の未来予測に基づき、本書において身勝手な強欲や次世代の暮らしを無視した経済活動を糾弾する。アタリ流の未来予測のテクニックについては、『アタリ文明論講義』（ちくま学芸文庫、二〇一六年刊）を参照してほしい。ちなみに、アタリのいう「未来を予測する」は、「未来を知る」あるいは「未来を予言する」こと、つまり、あらかじめ定められた未来を甘受するのではなく、自身の行動によって、予想とは異なる道筋を未来に歩ませるのは可能だと考えることだ。すなわち、本書で述べられている予測は、われわれの現在の歩む方向と速度を改めなければ、必然的にたどり着く場所を意味する。

アタリは、「集団の活動に大きな変化が必要な際には、すべては必ず個人が変わることから始まる。個人の内面が変わらなければならないのだ」と指摘する。

実際に、われわれ人類はこうした例を近代史において経験している。「過去一万年間の人口増加を基に補外計算すると、世界人口は二〇二六年ごろに無限大になって爆発するという。幸いなことに、われわれは人口爆発から逃れたが、その理由は、当時は誰も予見しなかった人口転換、つまり人口の自然増加の形態が多産多死型から多産少死型、さらには少産少死型へ移行するという奇跡によるものだった。

最初に先進国、次に世界中で、人々は出生率を急減させたのである。このようにして、予想外の人口転換が予定されていた崩壊から人類を救ったのである」（出典：『経済成長という呪い（仮題）』、ダニエル・コーエン著、東洋経済新報社、近刊）。

人口転換が起きた理由は諸説あるが、少なくとも権力が集団に押しつけたのではなく、個人の内面が変化したからである。公共の乗り物の積極的な利用やカーシェアリングなどの共有志向、ゴミの仕分けやマイバッグ運動などのエコロジーも、啓発活動の成果もあってわれわれの日常生活にすでに組み込まれている。よって、環境問題も人口問題のように、思わぬきっかけによるわれわれの暮らしの変化、つまり、物質的な経済成長に変わる利他主義などの浸透によって解決されるのかもしれない。

したがって、アタリが本書で指摘する解決策をユートピアだと一笑に付すのは、一八世紀末に、農業の課す制約がなければ、人類は指数関数的に増加する傾向があり、農業生産の限界に達すると、人類は自壊すると説いたマルサスの呪いを、絶対不可避なものとして頭から信じ込む態度と等しいのではないか。

問題を直視せず先送りする態度や、そんなことなど起きるわけがないという決めつけ、ようするに、アタリのいう未来予測を怠る怠惰こそが、最悪の事態を自ら招き入れる環境をつくり出すのだ。

最後に、本書の編集を担当していただいたプレジデント社書籍編集部の渡邉崇氏には大変お世話になった。感謝申し上げる。本書が読者、そして日本、さらには人類のサバイバルの一助になれば幸いである。

林　昌宏

二〇一七年六月

［原注］

1. Crédit suisse, . « Global Wealth Report 2015 ».
2. OMS, Statistiques sanitaires mondiales, 2015.
3. Development Economics World Bank Group, « Ending Extreme Poverty and Sharing Prosperity : Progress and Policies »,octobre 2015.
4. IFPRI, « 2015 Global Hunger Index », 2015.
5. Cambridge Econometrics, « Consumer Prices in the UK : Explaining the Decline in Real Consumer Prices for Cars and Clothing and Footwear », mars 2015.
6. US Bureau of Labor Statistics.
7. Ibid.
8. Mary Meeker (KPCB), « Internet Trends 2016, Code Conference », juin 2016.
9. Encyclopedia of Microcomputers, vol. 28.
10. The Size of the World Wide Web.
11. Source : Microsoft.
12. Source : WhatsApp.
13. http://blogdumoderateur.com/chiffres-google/
14. Banque mondiale.
15. European Global Navigation Satellite Systems Agency.
16. www.objetconnecte.net/agriculture-connectee-2701
17. « Tracking Online Education in the United States », Online Report Card, 2015.
18. Jonathan Moules, « MOO Cs Help Most Those Without a Degree », *Financial Times*, septembre 2015.
19. « All India Survey on Higher Education », 2013.
20. Wildcat Venture Partners, « China's Startup Boom in Online Learning », juillet 2015.
21. OMS, « From Innovation to Implementation, eHealth in the WHO European Region », 2016.
22. International Federation of Robotics, « World Robotics 2015 Industrial Robots », 2015.
23. « Top 10 Industrial Robot Companies and How Many Robots They Have around the World », *Robotics and Automation News*, juillet 2015.

24. PwC, « The Sharing Economy » , 2015.
25. Chiffres rapportés par Cécile Hennion et Christophe Ayad dans un entretien avec Pierre Micheletti, « *Le monopole* occidental des ONG ne répond plus aux équilibres du monde », Le Monde, 21 mai 2016.
26. « Innover par la mobilisation des acteurs : 10 propositions pour une nouvelle approche de l'aide au développement » , Rapport d'orientations pour la Direction générale de la mondialisation,du développement et des partenariats, 2014.
27. KPMG, « Philanthropie, l'exception américaine », 2013.
28. David Vine, « The United States Probably Has More Foreign Military Bases Than Any Other People, Nation, or Empire in History », *The Nation*, 14 septembre 2015.
29. « United States Nuclear Forces, 2016. Bulletin of the Atomic Scientists», Hans M. Kristensen et Robert S. Norris, 2016.
30. OMS, « Les niveaux de pollution atmosphérique en hausse dans un grand nombre de villes parmi les plus pauvres au monde » , communiqué de presse, 12 mai 2016.
31. D'après Pat Wall, « Responsible Agriculture », International Maize and Wheat Improvement Center in Mexico : www.nature.com/nature/journal/v428/n6985/full/428792a.html
32. OCDE, « Rapport d'étape sur les travaux de l'OCDE concernant les paradis fiscaux », avril 2009.
33. Cour internationale de justice.
34. Banque mondiale, « Women, Business and the Law 2016 : Getting to Equal » , 2015.
35. Joshua S. Goldstein, Steven Pinker, « The Decline of War and Violence » , *The Boston Globe*, 15 avril 2016.
36. Gareth Cook, « History and the Decline of Human Violence », *Scientific American*, 4 novembre 2011.
37. Michael Shermer, « The Decline of Violence », *Scientific American*, 4 octobre 2011.
38. Hannah Bloch, « Taking the Long View, Is the World Getting More Or Less Violent ? », *NPR*, 16 juillet 2016.
39. Uppsala Conflict Data Program : http://ucdp.uu.se
40. Human Security Report Project, « The Decline in Global Violence

Reality or Myth ? », 3 mars 2014.
41. Interview d'Hervé Le Bras par Catherine Calvet, . « Le Sahel est une exception démographique ». *Liberation*, 13 février 2013.
42. Maxime Vaudano, « Migrants : la Méditerranée redevient un cimetière aquatique», *Le Monde*, 6 juin 2016 : www.lemonde.fr/les-decodeurs/article/2016/06/06/migrants-la-mediterranee-redevient-un-cimetiere-aquatique_4939137_4355770.html
43. Rémi Barroux, « 48 millions d'enfants migrants ou déplacés de force dans le monde», *Le Monde*, 7 septembre 2016 : www.lemonde.fr/demographie/article/2016/09/07/48-millions-d-enfants-migrants-ou-deplaces-de-force-dans-le-monde_4993616_1652705.html
44. AEE, « L'environnement en Europe : état et perspectives 2015 », mars 2015.
45. *Ibid.*
46. Unesco, Programme mondial pour l'évaluation des ressources en eau, « La pollution de l'eau continue de croltre dans le monde entier » , 2009.
47. Internal Displacement Monitoring Center, « Global Estimates 2015 : People displaced by disasters », juillet 2015.
48. GIEC, « Cinquième rapport du GIEC sur les changements climatiques et leurs évolutions futures », 2013-2014.
49. OCDE-FAO, « Perspectives agricoles de l'OCDE et de la FAO 2016-2025 », 2015.
50. OCDE, « Agriculture and Water », Réunion des ministres de l'Agriculture, avril 2016.
51. OCDE, « Tackling the Challenges of Agricultural Groundwater Use », mai 2016.
52. Aziz Aris et Samuel Leblanc, « Maternal and fetal exposure to pesticides associated to genetically modified foods in Eastern Townships of Quebec, Canada », *Reprod Toxicol.*, février 2011.
53. Institute for Responsible Technology, « Gluten Disorders : Can Genetically Engineered Foods Trigger Gluten Sensitivity ? ».
54.http://no-patents-on-seeds.org/fr/information/nouvelles/opposition-contre-un-brevet-europeen-sur-la-tomate
55. Statistiques de la Banque mondiale.

56. Emmanuel Saez et Gabriel Zucman, « Wealth Inequalities In The United States Since 1913. Evidence From Capitalized Income Tax Data » , octobre 2014.
57. Les chiffres sont ceux avancés par la Commission européenne selon Carl B. Frey et Martin A. Osborne, « The Future of Employment : How jobs are susceptible to computerization »,Oxford Martin School, 2013.
58. McKinsey Global Institute, « Poorer than their Parents ? Flat or Falling Incomes in Advanced Economies », juillet 2016.
59. Selon le Pew Research Center, appartient à la classe moyenne un foyer gagnant entre deux tiers et le double du revenu médian, soit entre 42 000 et 125 000 dollars par an pour une famille de trois personnes.
60. Sondage Price, 2013.
61. ONU, Commission économique pour l'Afrique, « Rapport OMD 2015. Évaluation des progrès réalisés en Afrique pour atteindre les Objectifs du millénaire pour le développement »,septembre 2015.
62. « Tackling Drug-Resistant Infections Globally. Final Report and Recommendations », *Review on Antimicrobial Resistance*,mai 2016.
63. Citi GPS, « Digital Disruption : How FinTech is forcing banking to a tipping point », mars 2016.
64. Paul J. Davies, « Negative Rates and Insurers : Be Afraid »,*Wall Street Journal*, 3 mars 2016.
65. www.lemonde.fr/economie/article/2016/04/18/la-contrefacon-un-marche-de-pres-de-500-milliards-de-dollars_4904439_3234.html
66. Étude du Pew Research Center.
67. Ashley Lutz, « These 6 Corporations Control 90 % of the Media in America », *Business Insider*, 14 juin 2012.
68. « The Elephant in the Room, New Report on Media Ownership », Media Reform Coalition, avril 2014.
69. « Democracy in Australia : Media Concentration and Media Laws», Australian Media Collaboration, avril 2015.
70. Pew Research Center, « State of the News Media 2016 »,juin 2016.
71. Arch Puddington et Tyler Roylance, « Anxious Dictators,Wavering Democraties : Global Freedom Under Preasure », Freedom House,

2016.

72. Rapport annuel de Freedom House.

73. Alain Franchon, « La démocratie recule », *Le Monde*,7 avril 2016.

74. Richard Hiault, « OCDE : Comment récupérer les 240 milliards de dollars d'impôts qui échappent aux États », *Les Échos*, 5 octobre 2015 :www.lesechos.fr/05/10/2015/lesechos.fr/021378823000_ocde-comment-recuperer-les-240-milliards-de-dollars-d-impots-par-an-qui-echappent-aux-etats.htm

75. Richard Rubin, « U.S. Companies Are Stashing $2.1 Trillion Overseas to Avoid Taxes », *Bloomberg News*, 4 mars 2015.

76. Jeremy C. Owens, « Apple Isn't Really Sitting on $216 Billion in Cash », *MarketWatch*, 16 janvier 2016.

77. Jim Edwards, « Goldman Sachs : Half the FTSE 100 is Owned by Foreigners Who Might Sell if There Is a Brexit »,*Business Insider UK*, 7 juin 2016.

78. Jean-Philippe Lacour, « Les investisseurs étrangers montent en puissance dans la Bourse allemande », *Les Échos*,3 juin 2013 : www.lesechos.fr/03/06/2013/LesEchos/214 48-128-ECH_les-investisseurs-etrangers-montent-en-puissance-dans-la-bourse-allemande.htm

79. « Foreign Ownership of Japanese Stock Hits Record for Third Year », *Nikkei Asian Review*, 19 juin 2015.

80. Sue Chang, « Foreign Ownership of U.S. Equities Hits 69-year High », *MarketWatch*, 9 janvier 2015.

81. Opensecrets.org, Top Spenders, 2015.

82. Ian Traynor, « 30 000 Lobbyists and Counting », *The Guardian*,8 mai 2014.

83. CBS News / New York Times, 8-12 juillet 2016.

84. *Ibid.*

85. D'après Ted Miller, chercheur à l'Institut du Pacifique pour la recherche et l'évaluation.

86. Center for Disease Control and Prevention, « Surveillance for Waterborne Disease Outbreaks Associated With Drinking Water », 2011-2012.

87. Deux rapports publiés en juin 2016 par le Centre pour le controle et la prévention des maladies dans le *Journal of the American Medi-*

cal Association.
88. Étude conjointe du ministère de l'Éducation américain et du National Institute for Literacy réalisée en 2013.
89. SIPRI.
90. https://fr.sputniknews.com
91. AFP, « Pyongyang disposerait de 13 armes biologiques »,17 décembre 2015 : french.yonhapnews.co.kr/
92. Irsem, « La Corée du Nord de Kim Jong-un.Un perturbateur chronique en Asie orientale ? », 2014, d'après le *Livre blanc sur la defénse sud-coréen* de 2014.
93. Banque mondiale.
94. *Ibid.*
95. OCDE, « Doing Better for Families », 2011.
96. Sara McLanahan et Gary Sandefur, *Growing Up With a Single Parent*, Harvard University Press, 1994.
97. Miviludes, Rapport au Premier ministre 2011-2012, 2013.
98. Mathieu Carlier, 《Comment les sectes envahissent les entreprises 》, *Huffington Post*, 26 avril 2013.
99. ONUDC, « Criminalité transnationale organisée : l'économie illégale mondialisée », 2009.
100. Chris Matthews, « Fortune 5 : The Biggest Organised Crime Groups in the World », *Fortune*, 14 septembre 2014.
101. Selon une sous-commission britannique des Affaires étrangères, révélé par *The Telegraph et cité par Les Échos.*
102. Institute for Economics and Peace, « 2014 Global Terrorism Index », 2014.
103. National Intelligence Council, « Global trends 2030 : Alternative Worlds », décembre 2012.
104. Selon le Center on Religion and Geopolitics de la Tony Blair Faith Foundation, qui produit depuis début 2016 des rapports mensuels sur le nombre d'incidents violents liés à l'extrémisme religieux et à la réponse étatique violente à celui-ci.
105. Eric Lichtblau et Monica Davey, « Homicide Rates Jump in Many Major U.S. Cities, New Data Shows », *The New York Times*, 13 mai 2016.

106. Sophie Eychenne, « Les deux tiers de la population mondiale se déclarent croyants », *Le Monde des religions*, 20 avril 2015 : www.lemondedesreligions.fr/actualite/les-deux-tiers-de-la-population-mondiale-se-declarent-croyants-20-04-2015- 4634_118.php
107. ONU , Département des affaires économiques et sociales, « World Population Prospects : The 2015 Revision », juillet 2015.
108. Statistiques de l'Organisation mondiale de la santé.
109. Chiffres repris de l'OIT par Rémi Barroux, « 230 millions de migrants dans le monde, des flux qui ne cessent d'augmenter », *Le Monde*, 29 mai 2014.
110. Homi Kharas, « The Emerging Middle Class in Developing Countries », Development Centre Working Papers, n° 285, Éditions OCDE, 2010.
111. Deloitte, « La consommation en Afrique. Le marché du xxie siècle》, juin 2015.
112. Grégory Rozières, « Avec la fin de la loi de Moore, la puissance de vos smartphones ne va plus exploser, mais c'est une bonne nouvelle », *Huffington Post*, 28 mars 2016.
113. McKinsey Global Institute, « The Internet of Things : Mapping the Value Beyond the Hype », juin 2015.
114. McKinsey Global Institute, « Disruptive Technologies : Advances That Will Transform Life, Business, and the Global Economy », mai 2013.
115. https://blockchainfrance.net
116. Encyclopédie Larousse en ligne.
117. McKinsey Global Institute, « Disruptive Technologies : Advances That Will Transform Life, Business, and the Global Economy », *op. cit.*
118. OCDE, « Perspective d'avenir pour la biotechnologie industrielle », 2011.
119. Charlotte Barbaza, « Après les chiens, le clonage de masse d'animaux arrive l'an prochain », *Capital*, 26 novembre 2015 : www.capital.fr/a-la-une/actualites/apres-les-chiens-le-clonage-de-masse-d-animaux-arrive-l-an-prochain-1088285
120. Stuart Dredge, « Three Really Real Questions About the Future of Virtual Reality », *The Guardian*, 7 janvier 2016.

121. Karin Frick & Daniela Tenger, « Smart Home 2030 »,GDI, 2015.
122. John P. Reganold et Jonathan M. Wachter, « Organic Agriculture in the Twenty-First Century », *Nature Plants*, 2016.
123. Autodesk, communiqué de presse, avril 2015.
124. Maureen Suignard, Martin Cadoret, « Demain, le numérique aura hacké les temples de l'art », *Libération*, 7 avril 2014 : http://s0.libe.com/fremen/rennes-2013/le-numerique-aura-hacke-les-temples-de-l-art/125. Ibid.
126.www.alphr.com/art/1004252/tate-britain-s-new-ai-finds-art-in-current-affairs
127. PwC, « The Sharing Economy », *op. cit.*
128. Ademe, « Le recyclage : un enjeu stratégique pour l'économie », dossier mis à jour le 20 mars 2015 : www.ademe.fr/expertises/dechets/passer-a-laction/valorisation-matiere/dossier/recyclage/recyclage-enjeu-strategique-leconomie
129.www.lemonde.fr/sciences/video/2016/06/17/recycler-les-dechets-electroniques-avec-de-l-eau-a-500-c_4953064_1650684.html
130. McKinsey Global Institute, « A Labor Market That Works : Connecting Talent With Opportunity In The Digital Age », juin 2015.
131. PwC, « The Sharing Economy », *op. cit.*
132. Ernst & Young, « The Growth of the Middle Class in Emerging Markets », avril 2013.
133. Banque mondiale, « Global Development Horizons.Capital for the Future : Saving and Investment in an Interdependent World », 2013.
134. J. Gabriel Boylan, « 160 Million Missing Girls », *The Boston Globe*, juin 2011.
135. ONU , Département des affaires économiques et sociales,《World Population Prospects : The 2015 Revision 》, juillet 2015.
136. Gérard-François Dumont, « La géopolitique des populations du Sahel », *La revue géopolitique*, 7 avril 2010.
137. OCDE , « OECD Environmental Outlook to 2030 », 2008.
138. OCDE, « OECD Environmental Outlook to 2050 : The Consequences of Inaction », 2012.
139. GIEC, « Cinquième rapport du GIEC sur les changements clima-

tiques et leurs évolutions futures », 2013-2014.

140. Banque mondiale, « Baissons la chaleur : face à la nouvelle norme climatique », 2014.

141. BRGM, 2011.

142. www.conserve-energy-future.com/various-water-pollution-facts.php

143. ONU, « Rapport mondial 2015 sur la mise en valeur des ressources en eau. L'eau pour un monde durable », 2015.

144. ONU , Département des affaires économiques et sociales, « Population Facts : Trends in International Migration »,décembre 2015.

145. Bastien Alex et François Gemenne, « Impacts du changement climatique sur les flux migratoires à l'horizon 2030 », 2016.

146. Carl B. Frey et Martin A. Osborne, « The Future of Employment : How Susceptible Are Jobs to Computerization »,*op. cit.*

147. *Ibid.*

148. Michael Chui, James Manyika et Mehdi Miremadi, « Where Machines Could Replace Humans – and Where They Can't (Yet) », McKinsey Quarterly, juillet 2016.

149. Deloitte, « La consommation en Afrique », *op. cit.*

150.https://www.bcgperspectives.com/content/articles/financial-institutions-consumer-insight-global-wealth-2016/?chapter=2#chapter2_section2

151. McKinsey Global Institute, « Poorer Than Their Parents ? »,*op. cit.*

152.www.futuristspeaker.com/business-trends/reaching-1-billion-drones-by-2030/

153. Solucom, « Big Data : une mine d'or pour l'assurance »,2015.

154. Statistiques de l'US Department of Agriculture.

155. Banque mondiale, World Development Indicators, International Financial Statistics of the IMF, IHS Global Insight, and Oxford Economic Forecasting, as well as estimated and projected values developed by the Economic Research Service all converted to a 2010 base year.

156. Erin Griffith, « Ones to watch », *Fortune*, 8 juin 2015 : fortune.com/2015/06/08/fortune-500-2025-prediction/

157. KPMG International, « Walking the Fiscal Tightrope »,janvier 2013.

158. Franck Dedieu, « Les cinq signes qui font craindre une nouvelle crise économique mondiale», *L'Express*,7 décembre 2015 : lexpansion.lexpress.fr/actualite-economique/le-temps-de-la-re-crise-economique_1742523.html

159. Intervention de Louis Gautier au colloque « Forces aériennes en 2030. Tendances et ruptures possibles », 21 avril 2016.

160. Jonathan B. Tucker, « The Future of Chemical Weapons», *New Atlantis*, 2010.

161.https://sputniknews.com/world/20160626/1041978229/russia-united-states-navies.html

162. SIPRI, « Trends in World Nuclear Forces, 2016 »,juin 2016.

163. Defense News.

164. International Institute for Strategic Studies.

165. Plan stratégique des armées, actualisation 2015.

166. Kyle Mizokami, « The 5 most powerful Navies of 2030 »,*The National Interest*, 25 juin 2016 : http://nationalinterest.org/feature/the-5-most-powerful-navies-2030-16723?page=2

167. Jeremy Bender, « China's airpower will overtake the US Air Force by 2030 », *Business Insider*, 3 mars 2016 : http://www.businessinsider.com/china-will-overtake-us-air-force-by-2030-2016-3?IR=T

168. Kyle Mizokami, art. cit.

169. Tous les chiffres de la fin de ce paragraphe et du suivant proviennent de « American Defence College, India-China in 2030 : A Net Assessment of the Competition Between Two Rising Powers », octobre 2012.

170.www.itele.fr/monde/video/nucleaire-la-coree-du-nord-pourrait-posseder-jusqua-100-armes-atomiques-en-2020-113362

171. *Ibid.*

172. Ankit Panda, « South Korea is planning a huge increase in defense spending », The Diplomat, 22 avril 2015 : http://the-diplomat.com/2015/04/south-korea-is-planning-a-huge-increase-in-defense-spending/

173. Europol, « Exploring Tomorrow's Organized Crime », 2015.

174. *Ibid.*

175. Franck Dedieu, art. cit.

176. Migration policy institute, « Securing Borders. The Intended, Unintended, and Perverse Consequences », janvier 2014.

177. McKinsey Global Institute, « Debt and (not much deleveraging) », 2015.

178. Selon le rapport de Philip A. Karber intitulé « Strategic Implications of China's Underground Great Wall », 2011.

179. https://sputniknews.com

180. Peter Zeihan, « Analysis : Russia's Far East Turning Chinese », ABC News, 2014.

181. https://sputniknews.com

[著者紹介]

ジャック・アタリ(Jacques Attali)

1943年アルジェリア生まれ。フランス国立行政学院(ENA)卒業、81年フランソワ・ミッテラン仏大統領顧問、91年欧州復興銀行の初代総裁などの要職を歴任。政治・経済・文化に精通し、ソ連の崩壊、金融危機、テロの脅威、ドナルド・トランプ米大統領の誕生などを的中させた。著書は『、21世紀の歴史』、『金融危機後の世界』、『国家債務危機―ソブリン・クライシスに、いかに対処すべきか?』、『危機とサバイバル―21世紀を生き抜くための〈7つの原則〉』(いずれも作品社)、『アタリの文明論講義:未来は予測できるか』(筑摩書房)などが多数ある。

[訳者紹介]

林 昌宏(はやし・まさひろ)

1965年名古屋市生まれ。翻訳家。立命館大学経済学部卒業。訳書にジャック・アタリ『21世紀の歴史』、ダニエル・コーエン『経済と人類の1万年史から、21世紀世界を考える』、ボリス・シリュルニク『憎むのでもなく、許すのでもなく』他多数。

2030年
ジャック・アタリの未来予測
不確実な世の中をサバイブせよ！

2017年8月15日　第1刷発行
2017年9月23日　第3刷発行

著　者　ジャック・アタリ
訳　者　林 昌宏
発行者　長坂嘉昭
発行所　株式会社プレジデント社
〒102-8641 東京都千代田区平河町2-16-1
平河町森タワー 13F
http://president.jp　http://str.president.co.jp/str/
電話　編集（03）3237-3732
販売（03）3237-3731
編　集　渡邉 崇
販　売　桂木栄一　高橋 徹　川井田美景　森田 巌
遠藤真知子　末吉秀樹
装　丁　秦 浩司（hatagram）
制　作　関 結香
印刷・製本　中央精版印刷株式会社

ISBN978-4-8334-2240-6
Printed in Japan